BEGINNER'S
HUNGARIAN
DICTIONARY

HELEN DAVIES and HELGA SZABÓ

Illustrated by John Shackell
Designed by Brian Robertson
Edited by Nicole Irving

HOLNAP KIADÓ

Contents

Using this book

This book contains over 2000 useful Hungarian words, with pictures to help you remember them. To help you identify words, nouns (naming words) are printed in Roman lettering (könyv, book) and all other words and phrases in italics (*nagy*, big).

The pronunciation of letters in Hungarian is not the same as in English. If you want to read the words in this book correctly, study the pronunciation key on page 96 or listen to a Hungarian native speaker.

Nouns (naming words)
In the pictures nouns (names of things and people) occur in the singular. When you are speaking about more than one thing or person, you use the plural form. In English you add -s or -es, in Hungarian you add **-k**, **-ok** or **-ek** to the noun. e.g. **fiú – fiúk** boy – boys

The **-k** is only one of the several endings in Hungarian. English prepositions like 'in', 'on', 'with' or words like 'my', 'your' are all expressed by endings. You can find more information about them on pp 97–98.

Hungarian nouns, similarly to English ones, are often preceded by articles. The definite article 'the' is **a** or **az**, e.g. **a ház** – the house, **az ember** – the man.

The indefinite article 'a, an' is **egy**, but it is often omitted.

Adjectives (describing words)
Adjectives are used to describe someone or something, e.g. **jó** good, **piros** red. Adjectives in Hungarian do not usually change, e.g. **piros autó** – red car, **piros autók** – red cars. Adjectives only take endings when they are not followed by a noun, e.g. **Az autók pirosak.** – The cars are red.

Verbs (action words)
Verbs in Hungarian change their endings according to who is doing the action. Throughout this book verbs appear in the third person singular of the present tense (the form you use after he, she, it). This is the form all other endings are usually attached to. The tables on pp. 101–103 will help you find out how to use verbs.

You will find the endings of nouns and verbs in the word list.

Meeting People

Szia!

Szia!

Viszontlátásra!

puszit ad

férfi

nő

kisbaba

kezet fog

fiú

lány

Szia!	Hello/Bye	**férfi**	man
Viszontlátásra!	Goodbye/See you later	**nő**	woman
kezet fog vkivel	to shake hands with	**kisbaba**	baby
puszit ad	to kiss	**fiú**	boy
lány	girl		

bemutat

találkozik

Hogy vagy/van?

Köszönöm, jól.

barátnő

barát

bemutat	to introduce	**Hogy vagy/van?**	How are you?
barát(nő)	friend	**Köszönöm, jól.**	Very well, thank you.
találkozik	to meet		

4

* You can find some information about phrases and expressions
in the Phrase explainer section on pages 106–109.

beszélget	to chat
Igen.	Yes.
Nem.	No.
Egyetértek.	I agree.
mond	to say
elneveti magát	to burst out laughing

beszélget

Igen.

Nem.

Egyetértek.

mond

elneveti magát

név

vezetéknév

Kovács János

keresztnév

név	name
keresztnév	first name
vezetéknév	surname
Hogy hívnak?	What's your name?
.... vagyok	My name is ....
Ő	His name is ....

.... vagyok

Ő ....

Hogy hívnak?

kor

Hány éves vagy?

fiatal

idősebb

fiatalabb

öreg

19 éves vagyok.

egyidős

kor	age
Hány éves vagy?	How old are you?
19 éves vagyok.	I'm nineteen.
fiatal	young

öreg	old
idősebb, mint	older than
fiatalabb, mint	younger than
egyidős vkivel	the same age as

Families

család — nagyapa

apa

anya — nagynéni

nagymama — nagybácsi

fiútestvér — lánytestvér — unokanővér — unokafivér

család	family	**nagyapa**	grandfather
apa	father	**nagymama**	grandmother
anya	mother	**nagynéni**	aunt
fiútestvér	brother	**nagybácsi**	uncle
lánytestvér	sister	**unokanővér/unokafivér**	cousin

rokona vkinek

fia — (fiú)unoka — (lány)unoka

lánya — unokaöcs

felnevel — *szeret* — unokahúg

rokona vkinek	to be related to	**(lány)unoka**	granddaughter
fia	son	**szeret**	to be fond of
lánya	daughter	**unokaöcs**	nephew
felnevel	to bring up	**unokahúg**	niece
(fiú)unoka	grandson		

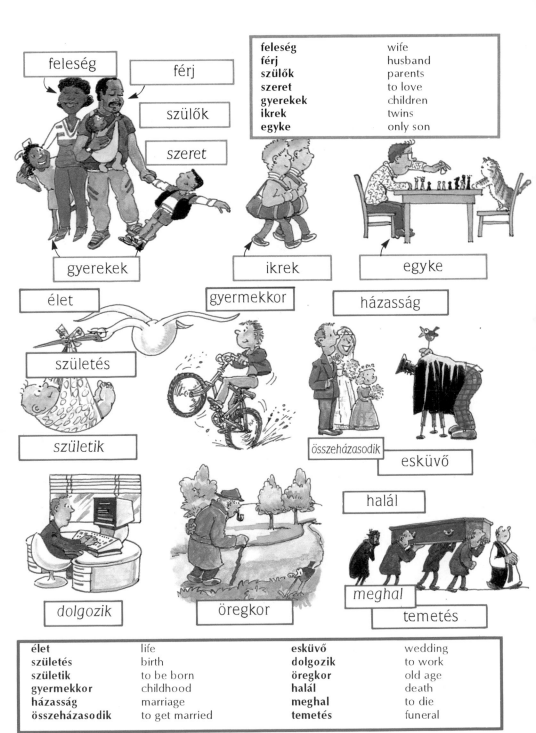

feleség	wife
férj	husband
szülők	parents
szeret	to love
gyerekek	children
ikrek	twins
egyke	only son

feleség

férj

szülők

szeret

gyerekek

ikrek

egyke

élet

gyermekkor

házasság

születés

születik

összeházasodik

esküvő

halál

dolgozik

öregkor

meghal

temetés

élet	life	**esküvő**	wedding
születés	birth	**dolgozik**	to work
születik	to be born	**öregkor**	old age
gyermekkor	childhood	**halál**	death
házasság	marriage	**meghal**	to die
összeházasodik	to get married	**temetés**	funeral

Appearance and personality

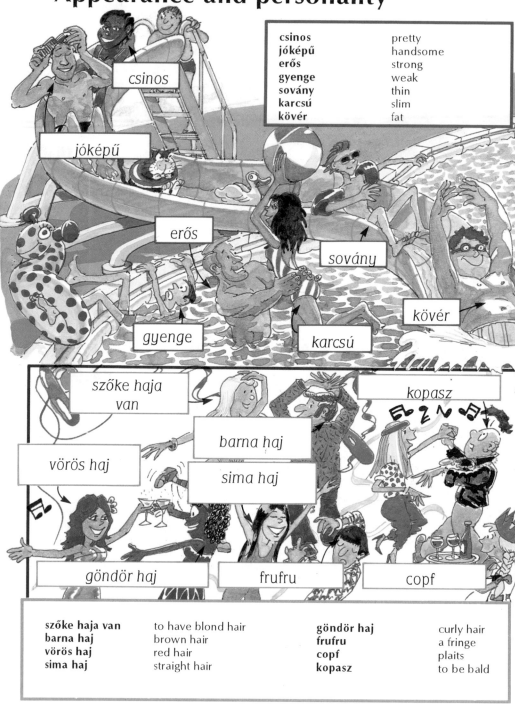

csinos

jóképű

erős

sovány

gyenge

karcsú

kövér

csinos	pretty
jóképű	handsome
erős	strong
gyenge	weak
sovány	thin
karcsú	slim
kövér	fat

szőke haja van

kopasz

barna haj

vörös haj

sima haj

göndör haj

frufru

copf

szőke haja van	to have blond hair	göndör haj	curly hair
barna haj	brown hair	frufru	a fringe
vörös haj	red hair	copf	plaits
sima haj	straight hair	kopasz	to be bald

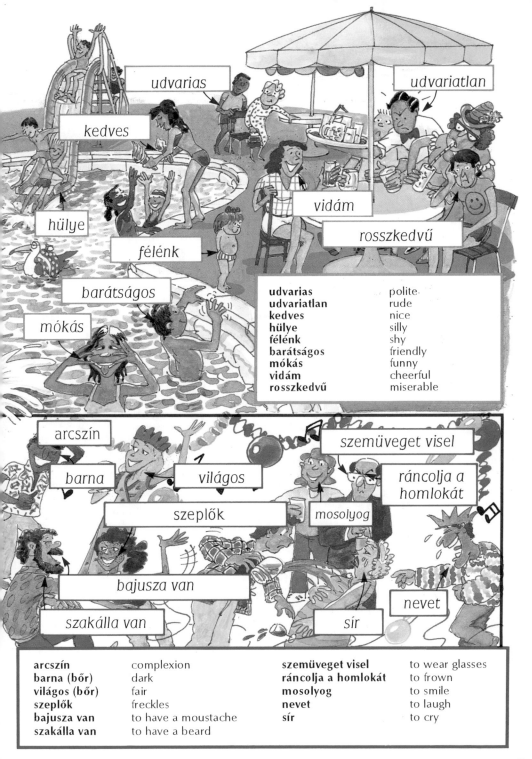

udvarias

udvariatlan

kedves

vidám

hülye

rosszkedvű

félénk

barátságos

mókás

udvarias	polite
udvariatlan	rude
kedves	nice
hülye	silly
félénk	shy
barátságos	friendly
mókás	funny
vidám	cheerful
rosszkedvű	miserable

arcszín

szemüveget visel

barna

világos

ráncolja a homlokát

szeplők

mosolyog

bajusza van

nevet

szakálla van

sír

arcszín	complexion	szemüveget visel	to wear glasses
barna (bőr)	dark	ráncolja a homlokát	to frown
világos (bőr)	fair	mosolyog	to smile
szeplők	freckles	nevet	to laugh
bajusza van	to have a moustache	sír	to cry
szakálla van	to have a beard		

Your body

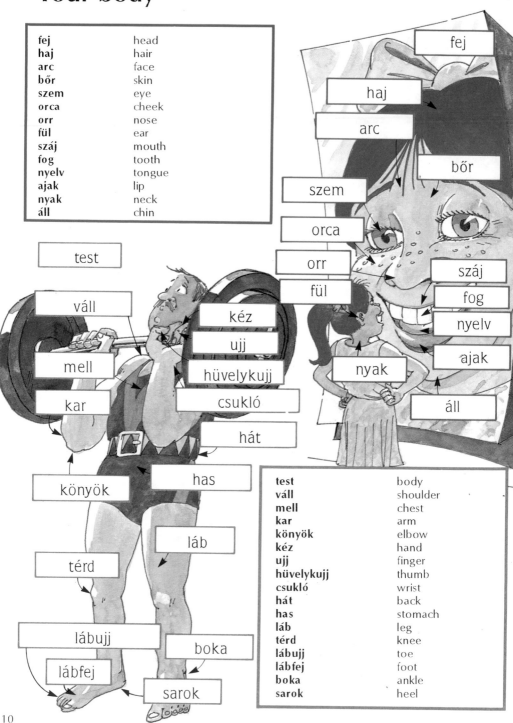

fej	head
haj	hair
arc	face
bőr	skin
szem	eye
orca	cheek
orr	nose
fül	ear
száj	mouth
fog	tooth
nyelv	tongue
ajak	lip
nyak	neck
áll	chin

fej

haj

arc

bőr

szem

orca

orr

fül

száj

fog

nyelv

ajak

nyak

áll

test

váll

kéz

ujj

hüvelykujj

csukló

hát

mell

kar

könyök

has

láb

térd

lábujj

boka

lábfej

sarok

test	body
váll	shoulder
mell	chest
kar	arm
könyök	elbow
kéz	hand
ujj	finger
hüvelykujj	thumb
csukló	wrist
hát	back
has	stomach
láb	leg
térd	knee
lábujj	toe
lábfej	foot
boka	ankle
sarok	heel

magas	to be tall
alacsony	to be short
megméri magát	to weigh yourself
könnyű	to be light
nehéz	to be heavy

bal oldal

jobb oldal

magas

alacsony

megméri magát

könnyű

nehéz

bal oldal	left side
jobb oldal	right side

letérdel

lefekszik

fekszik

mezítláb jár

térdel

leül

feláll

áll

ül

mezítláb jár	to walk barefoot
feláll	to stand up
áll	to be standing
letérdel	to kneel down
térdel	to be kneeling
lefekszik	to lie down
fekszik	to be lying down
leül	to sit down
ül	to be sitting down

11

Houses and homes

emeletes ház

lakás

Itthon vagyok.

második emelet

bejárati ajtó

csengő

csenget

levélszekrény

lábtörlő

erkély

házfelügyelő

beköltözik

földszint

emeletes ház	block of flats
lakás	flat
Itthon vagyok.	I'm at home.
második emelet	second floor
bejárati ajtó	front door
csengő	doorbell
csenget	to ring the bell
levélszekrény	letter box
lábtörlő	doormat
erkély	balcony
első emelet	first floor
házfelügyelő	caretaker
beköltözik	to move in
földszint	ground floor

ház

családi ház-ban lakik

szomszéd

tulajdonosnő

elköltözik

első emelet

bérlő

alagsor

ház	house
családi házban lakik	to live in a house
szomszéd	neighbour
tulajdonosnő	landlady
elköltözik	to move out
bérlő	tenant
alagsor	basement

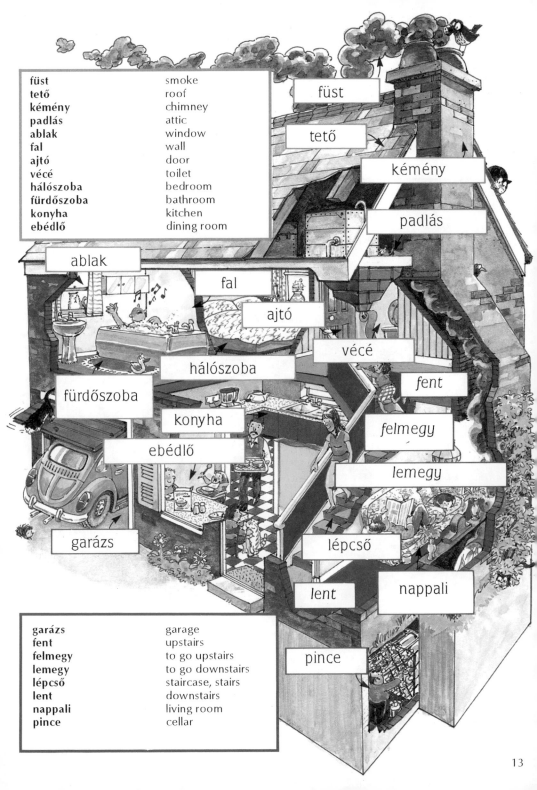

füst	smoke
tető	roof
kémény	chimney
padlás	attic
ablak	window
fal	wall
ajtó	door
vécé	toilet
hálószoba	bedroom
fürdőszoba	bathroom
konyha	kitchen
ebédlő	dining room

füst

tető

kémény

padlás

ablak

fal

ajtó

vécé

fent

hálószoba

fürdőszoba

konyha

felmegy

ebédlő

lemegy

garázs

lépcső

lent

nappali

pince

garázs	garage
fent	upstairs
felmegy	to go upstairs
lemegy	to go downstairs
lépcső	staircase, stairs
lent	downstairs
nappali	living room
pince	cellar

Dining room and living room

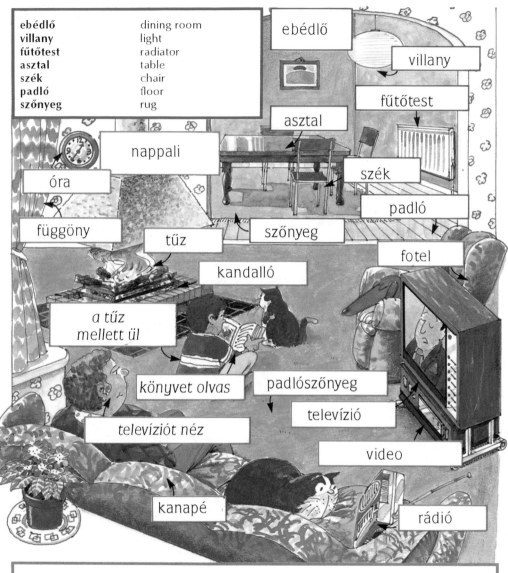

ebédlő	dining room
villany	light
fűtőtest	radiator
asztal	table
szék	chair
padló	floor
szőnyeg	rug

ebédlő

villany

fűtőtest

asztal

nappali

szék

óra

padló

függöny

tűz

szőnyeg

fotel

kandalló

a tűz
mellett ül

könyvet olvas

padlószőnyeg

televízió

televíziót néz

video

kanapé

rádió

nappali	living room	könyvet olvas	to read a book
óra	clock	televíziót néz	to watch television
függöny	curtain	kanapé	sofa
tűz	fire	padlószőnyeg	fitted carpet
kandalló	fireplace	televízió	television
fotel	armchair	video	video
a tűz mellett ül	to sit by the fire	rádió	radio

In the kitchen

konyha

konyhaszekrény

konyha	kitchen
konyhaszekrény	cupboard
mosógép	washing machine
mos	to do the washing
hűtőszekrény	fridge

mosógép

mos

hűtőszekrény

sütő

főz

serpenyő

vasal

gáz

szemétláda

csatlakozó

törölget

áram

konyharuha

porszívózik

mosogat

tiszta

piszkos

mosogató

sütő	oven	**porszívózik**	to vacuum
főz	to cook	**mosogat**	to wash up
serpenyő	saucepan	**piszkos**	dirty
gáz	gas	**mosogató**	sink
szemétláda	bin	**törölget**	to dry, to wipe
vasal	to iron	**konyharuha**	tea towel
csatlakozó	plug	**tiszta**	clean
áram	electricity		

In the garden

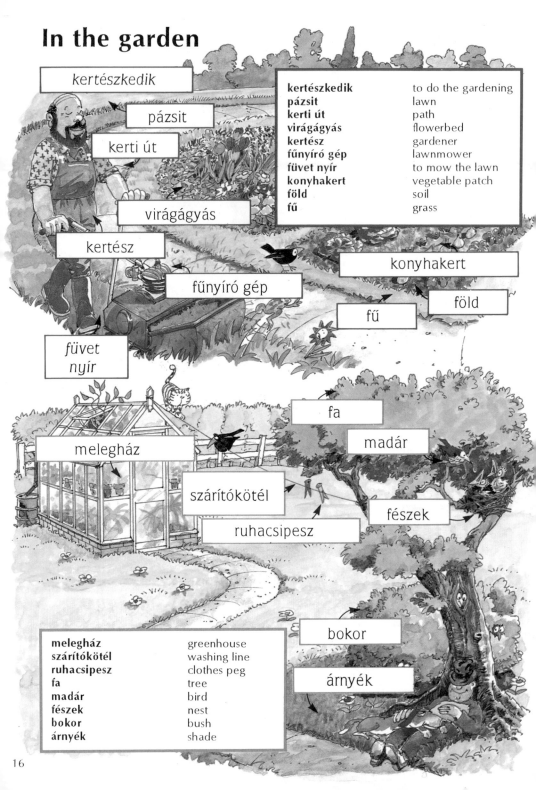

kertészkedik

pázsit

kerti út

virágágyás

kertész

fűnyíró gép

füvet nyír

kertészkedik	to do the gardening
pázsit	lawn
kerti út	path
virágágyás	flowerbed
kertész	gardener
fűnyíró gép	lawnmower
füvet nyír	to mow the lawn
konyhakert	vegetable patch
föld	soil
fű	grass

konyhakert

föld

fű

fa

madár

melegház

szárítókötél

fészek

ruhacsipesz

bokor

árnyék

melegház	greenhouse
szárítókötél	washing line
ruhacsipesz	clothes peg
fa	tree
madár	bird
fészek	nest
bokor	bush
árnyék	shade

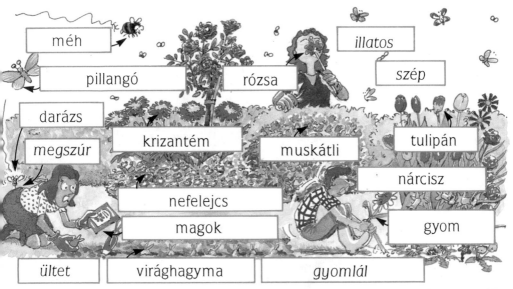

méh

pillangó

illatos

rózsa

szép

darázs

megszúr

krizantém

muskátli

tulipán

nárcisz

nefelejcs

magok

gyom

ültet

virághagyma

gyomlál

méh	bee	**tulipán**	tulip
pillangó	butterfly	**nefelejcs**	forget-me-not
darázs	wasp	**nárcisz**	daffodil
megszúr	to sting	**magok**	seeds
rózsa	rose	**ültet**	to plant
illatos	sweet-smelling	**virághagyma**	bulb
szép	lovely, beautiful	**gyomlál**	to weed
krizantém	chrysanthemum	**gyom**	weed
muskátli	geranium		

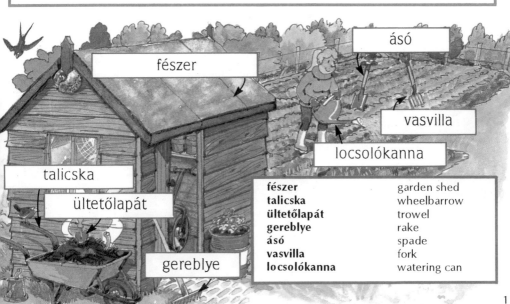

ásó

fészer

vasvilla

locsolókanna

talicska

ültetőlapát

gereblye

fészer	garden shed
talicska	wheelbarrow
ültetőlapát	trowel
gereblye	rake
ásó	spade
vasvilla	fork
locsolókanna	watering can

Pets

kutya	dog
kutyaól	kennel
kiskutya	puppy
bunda	fur
mancs	paw
játékos	playful
ugat	to bark
VIGYÁZZ! A KUTYA HARAP!	BEWARE OF THE DOG
kerget	to chase
visszahoz	to fetch
farok	tail
csóválja a farkát	to wag its tail
morog	to growl
kutyát sétáltat	to walk the dog

kutya

kutyaól

kiskutya

bunda

mancs

játékos

ugat

VIGYÁZZ! A KUTYA HARAP!

kerget

morog

visszahoz

farok

kutyát sétáltat

csóválja a farkát

macska	cat
kosár	basket
dorombol	to purr
kiscica	kitten
nyávog	to mew
nyújtózkodik	to strech
karom	claw
puha	soft
aranyos	sweet

macska

kosár

dorombol

kiscica

nyávog

nyújtózkodik

karom

puha

aranyos

18

törpepapagáj	budgie	**nyúl**	rabbit
gubbaszt	to perch	**teknős**	tortoise
szárny	wing	**ketrec**	cage
csőr	beak	**etet**	to feed
toll	feather	**aranyhal**	goldfish
hörcsög	hamster	**egér**	mouse
sün	hedgehog	**üvegedény**	bowl
tengerimalac	guinea pig		

Getting up

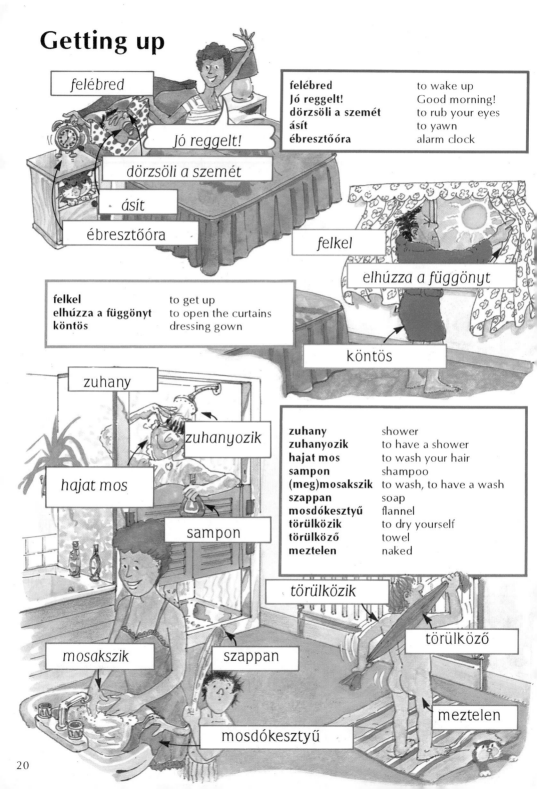

felébred

Jó reggelt!

dörzsöli a szemét

ásít

ébresztőóra

felébred	to wake up
Jó reggelt!	Good morning!
dörzsöli a szemét	to rub your eyes
ásít	to yawn
ébresztőóra	alarm clock

felkel

elhúzza a függönyt

köntös

felkel	to get up
elhúzza a függönyt	to open the curtains
köntös	dressing gown

zuhany

zuhanyozik

hajat mos

sampon

zuhany	shower
zuhanyozik	to have a shower
hajat mos	to wash your hair
sampon	shampoo
(meg)mosakszik	to wash, to have a wash
szappan	soap
mosdókesztyű	flannel
törülközik	to dry yourself
törülköző	towel
meztelen	naked

törülközik

törülköző

mosakszik

szappan

meztelen

mosdókesztyű

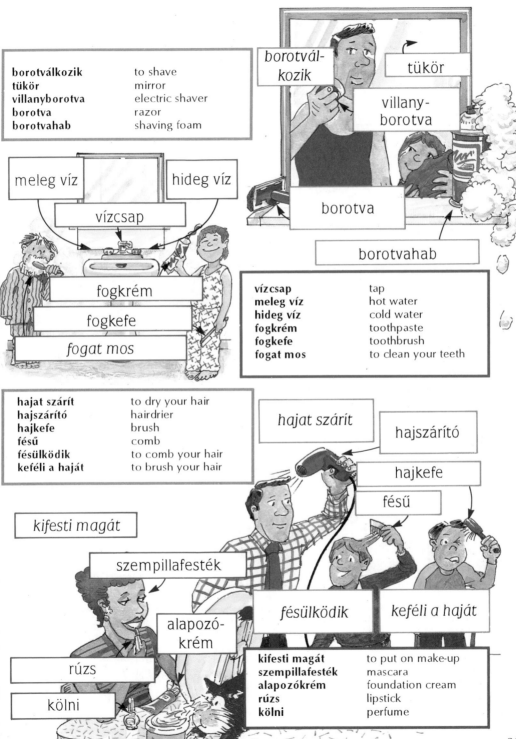

borotválkozik	to shave
tükör	mirror
villanyborotva	electric shaver
borotva	razor
borotvahab	shaving foam

borotvál-kozik

tükör

villany-borotva

borotva

borotvahab

meleg víz

hideg víz

vízcsap

fogkrém

fogkefe

fogat mos

vízcsap	tap
meleg víz	hot water
hideg víz	cold water
fogkrém	toothpaste
fogkefe	toothbrush
fogat mos	to clean your teeth

hajat szárít	to dry your hair
hajszárító	hairdrier
hajkefe	brush
fésű	comb
fésülködik	to comb your hair
keféli a haját	to brush your hair

hajat szárít

hajszárító

hajkefe

fésű

kifesti magát

szempillafesték

alapozó-krém

rúzs

kölni

fésülködik

keféli a haját

kifesti magát	to put on make-up
szempillafesték	mascara
alapozókrém	foundation cream
rúzs	lipstick
kölni	perfume

Clothes

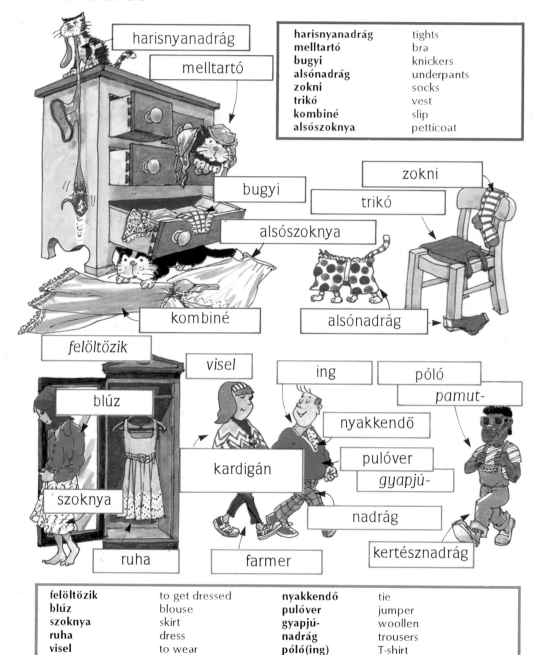

harisnyanadrág	tights
melltartó	bra
bugyi	knickers
alsónadrág	underpants
zokni	socks
trikó	vest
kombiné	slip
alsószoknya	petticoat

harisnyanadrág

melltartó

bugyi

zokni

trikó

alsószoknya

kombiné

alsónadrág

felöltözik

visel

ing

póló

pamut-

blúz

nyakkendő

kardigán

pulóver

gyapjú-

szoknya

nadrág

ruha

farmer

kertésznadrág

felöltözik	to get dressed	nyakkendő	tie
blúz	blouse	pulóver	jumper
szoknya	skirt	gyapjú-	woollen
ruha	dress	nadrág	trousers
visel	to wear	póló(ing)	T-shirt
kardigán	cardigan	pamut-	cotton, made of cotton
farmer(nadrág)	jeans	kertésznadrág	dungarees
ing	shirt		

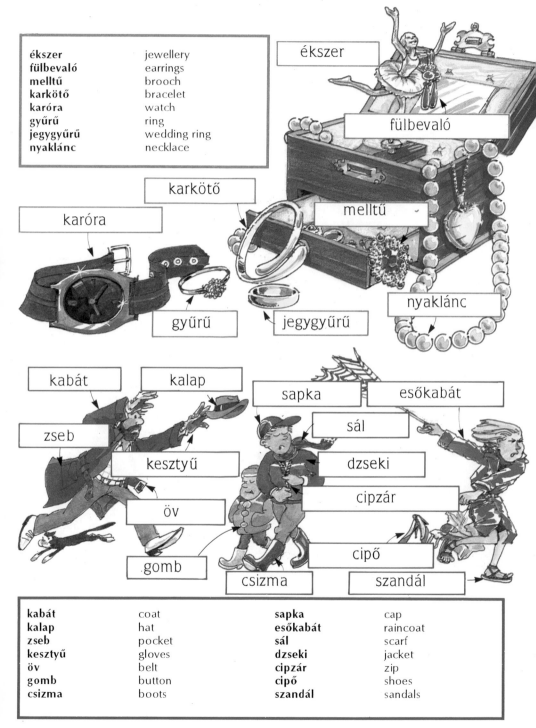

ékszer	jewellery		
fülbevaló	earrings		
melltű	brooch		
karkötő	bracelet		
karóra	watch		
gyűrű	ring		
jegygyűrű	wedding ring		
nyaklánc	necklace		

ékszer

fülbevaló

karkötő

karóra

melltű

nyaklánc

gyűrű

jegygyűrű

kabát

kalap

zseb

sapka

esőkabát

sál

kesztyű

dzseki

öv

cipzár

gomb

cipő

csizma

szandál

kabát	coat	**sapka**	cap
kalap	hat	**esőkabát**	raincoat
zseb	pocket	**sál**	scarf
kesztyű	gloves	**dzseki**	jacket
öv	belt	**cipzár**	zip
gomb	button	**cipő**	shoes
csizma	boots	**szandál**	sandals

23

Going to bed

a lefekvés ideje	bedtime
felgyújtja a villanyt	to switch the light on
álmos	to be sleepy
rendet rak	to tidy up
levetkőzik	to get undressed

a lefekvés ideje

felgyújtja a villanyt

álmos

rendet rak

levetkőzik

fürdővizet enged

fürdőkád

fürdik

dugó

fürdőköpeny

pancsol

fürdőszobaszőnyeg

mérleg

fürdővizet enged	to run a bath
fürdik	to have a bath
fürdőkád	bath
dugó	plug
fürdőköpeny	bathrobe
pancsol	to splash
fürdőszobaszőnyeg	bathmat
mérleg	scales

24

aludni megy

pizsama

hálóing

papucs

aludni megy	to go to bed
pizsama	pyjamas
hálóing	nightdress
papucs	slippers

altatódal

mesét olvas

gyerekágy

elalszik

altatódal	lullaby
mesét olvas	to read a story
gyerekágy	cot
elalszik	to fall asleep

Jó éjszakát!

Aludj jól!

álmodik

alszik

horkol

párna

eloltja a villanyt

olvasólámpa

lepedő

paplan

ágytakaró

éjjeliszekrény

ágy

Jó éjszakát!	Good night.	**paplan**	duvet
Aludj jól!	Sleep well.	**ágy**	bed
álmodik	to dream	**horkol**	to snore
alszik	to sleep	**párna**	pillow
eloltja a villanyt	to switch the light off	**lepedő**	sheet
olvasólámpa	bedside lamp	**ágytakaró**	bedspread
éjjeliszekrény	bedside table		

Eating and drinking

megterít	to lay the table
Kész az étel!	It's ready!
kávéskanna	coffee-pot
teáskanna	teapot
szalvéta	napkin
pohár	glass
tál	bowl
tányér	plate
csésze	cup
csészealj	saucer
abrosz	tablecloth
kancsó	jug
kanál	spoon
kés	knife
villa	fork

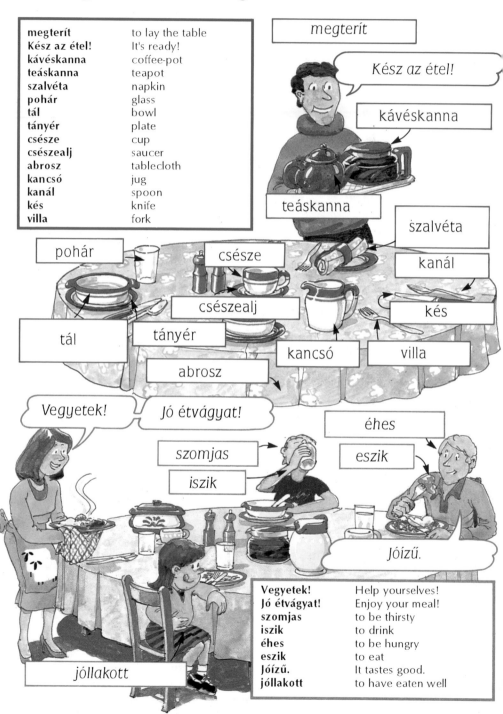

megterít

Kész az étel!

kávéskanna

teáskanna

szalvéta

kanál

kés

villa

pohár

csésze

csészealj

tál

tányér

kancsó

abrosz

Vegyetek!

Jó étvágyat!

éhes

szomjas

eszik

iszik

Jóízű.

jóllakott

Vegyetek!	Help yourselves!
Jó étvágyat!	Enjoy your meal!
szomjas	to be thirsty
iszik	to drink
éhes	to be hungry
eszik	to eat
Jóízű.	It tastes good.
jóllakott	to have eaten well

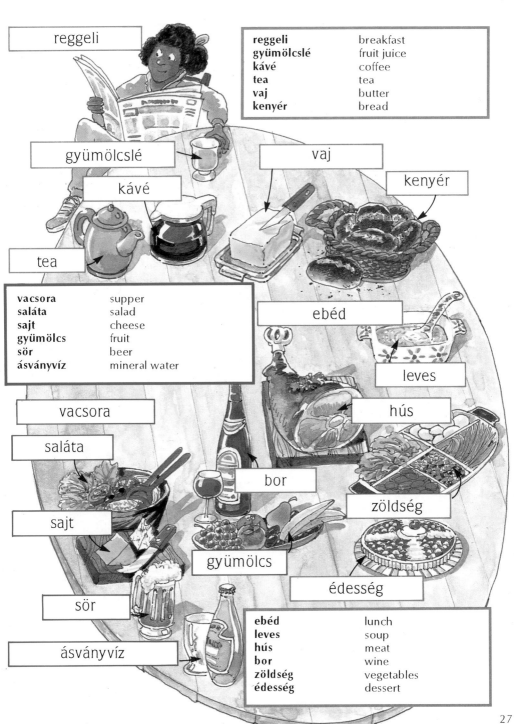

reggeli

reggeli	breakfast
gyümölcslé	fruit juice
kávé	coffee
tea	tea
vaj	butter
kenyér	bread

gyümölcslé

vaj

kávé

kenyér

tea

vacsora	supper
saláta	salad
sajt	cheese
gyümölcs	fruit
sör	beer
ásványvíz	mineral water

ebéd

leves

vacsora

hús

saláta

bor

zöldség

sajt

gyümölcs

édesség

sör

ásványvíz

ebéd	lunch
leves	soup
hús	meat
bor	wine
zöldség	vegetables
édesség	dessert

27

Buying food

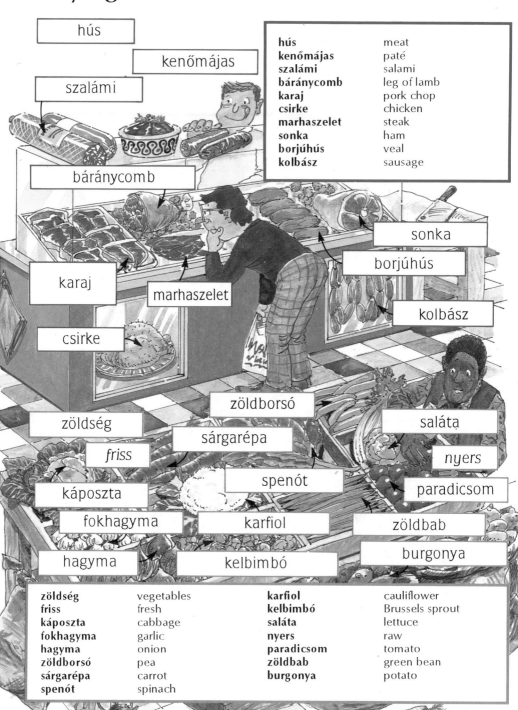

hús

kenőmájas

szalámi

báránycomb

hús	meat
kenőmájas	paté
szalámi	salami
báránycomb	leg of lamb
karaj	pork chop
csirke	chicken
marhaszelet	steak
sonka	ham
borjúhús	veal
kolbász	sausage

sonka

borjúhús

karaj

marhaszelet

kolbász

csirke

zöldborsó

zöldség

saláta

sárgarépa

friss

nyers

spenót

paradicsom

káposzta

fokhagyma

karfiol

zöldbab

burgonya

hagyma

kelbimbó

zöldség	vegetables	**karfiol**	cauliflower
friss	fresh	**kelbimbó**	Brussels sprout
káposzta	cabbage	**saláta**	lettuce
fokhagyma	garlic	**nyers**	raw
hagyma	onion	**paradicsom**	tomato
zöldborsó	pea	**zöldbab**	green bean
sárgarépa	carrot	**burgonya**	potato
spenót	spinach		

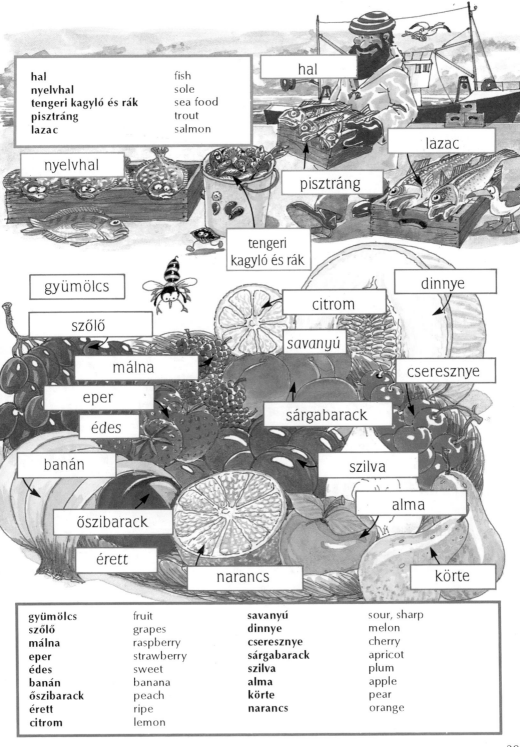

hal	fish
nyelvhal	sole
tengeri kagyló és rák	sea food
pisztráng	trout
lazac	salmon

hal

lazac

nyelvhal

pisztráng

tengeri kagyló és rák

gyümölcs

dinnye

citrom

szőlő

savanyú

málna

cseresznye

eper

sárgabarack

édes

banán

szilva

alma

őszibarack

érett

narancs

körte

gyümölcs	fruit	savanyú	sour, sharp
szőlő	grapes	dinnye	melon
málna	raspberry	cseresznye	cherry
eper	strawberry	sárgabarack	apricot
édes	sweet	szilva	plum
banán	banana	alma	apple
őszibarack	peach	körte	pear
érett	ripe	narancs	orange
citrom	lemon		

29

Buying food

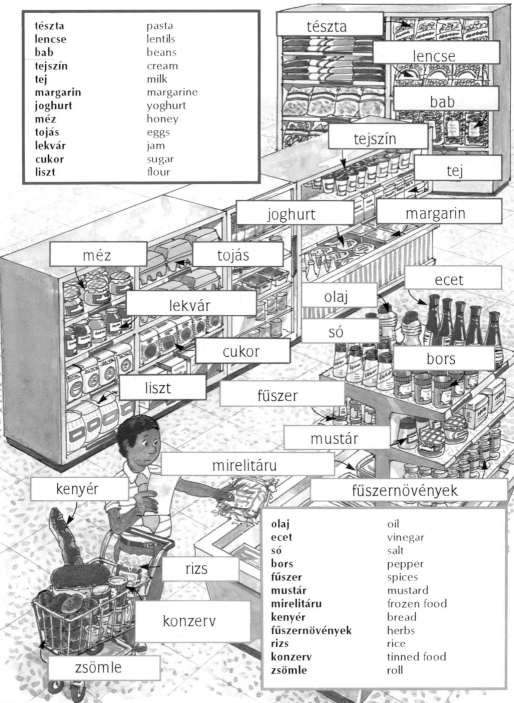

tészta	pasta
lencse	lentils
bab	beans
tejszín	cream
tej	milk
margarin	margarine
joghurt	yoghurt
méz	honey
tojás	eggs
lekvár	jam
cukor	sugar
liszt	flour

tészta

lencse

bab

tejszín

tej

joghurt

margarin

méz

tojás

ecet

lekvár

olaj

só

cukor

bors

liszt

fűszer

mustár

mirelitáru

kenyér

fűszernövények

rizs

konzerv

zsömle

olaj	oil
ecet	vinegar
só	salt
bors	pepper
fűszer	spices
mustár	mustard
mirelitáru	frozen food
kenyér	bread
fűszernövények	herbs
rizs	rice
konzerv	tinned food
zsömle	roll

csokoládé	chocolate
teasütemény	biscuit
gyümölcskosár	fruit tart
fánk	doughnut
habostorta	cream-cake
fagylalt	ice-cream
sütemény	pastry

csokoládé

teasütemény

gyümölcskosár

fánk

habostorta

sütemény

fagylalt

főz

ételrecept

megkóstol

íz

Finom!

alapanyagok

összekever

főz	to cook
ételrecept	recipe
alapanyagok	ingredients
összekever	to mix
megkóstol	to taste
íz	flavour, taste
Finom!	Delicious!

31

Pastimes

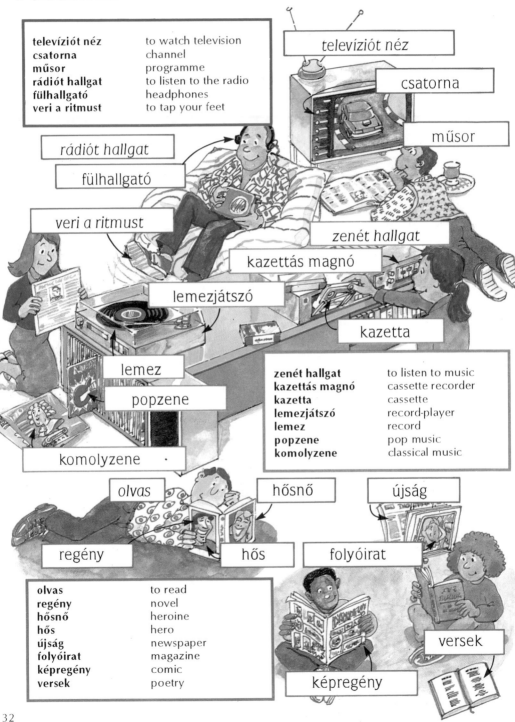

televíziót néz	to watch television
csatorna	channel
műsor	programme
rádiót hallgat	to listen to the radio
fülhallgató	headphones
veri a ritmust	to tap your feet

televíziót néz

csatorna

műsor

rádiót hallgat

fülhallgató

veri a ritmust

zenét hallgat

kazettás magnó

lemezjátszó

kazetta

lemez

popzene

komolyzene

zenét hallgat	to listen to music
kazettás magnó	cassette recorder
kazetta	cassette
lemezjátszó	record-player
lemez	record
popzene	pop music
komolyzene	classical music

olvas

hősnő

újság

regény

hős

folyóirat

versek

képregény

olvas	to read
regény	novel
hősnő	heroine
hős	hero
újság	newspaper
folyóirat	magazine
képregény	comic
versek	poetry

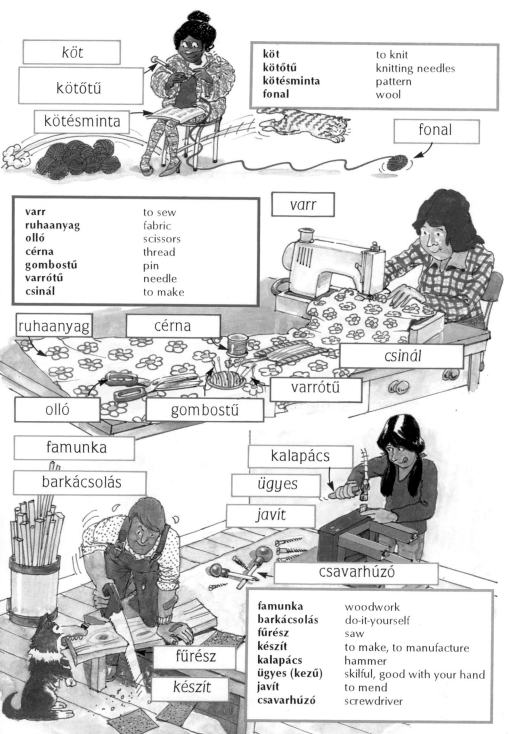

köt

kötőtű

kötésminta

köt	to knit
kötőtű	knitting needles
kötésminta	pattern
fonal	wool

fonal

varr

varr	to sew
ruhaanyag	fabric
olló	scissors
cérna	thread
gombostű	pin
varrótű	needle
csinál	to make

ruhaanyag

cérna

csinál

varrótű

olló

gombostű

famunka

kalapács

barkácsolás

ügyes

javít

csavarhúzó

fűrész

készít

famunka	woodwork
barkácsolás	do-it-yourself
fűrész	saw
készít	to make, to manufacture
kalapács	hammer
ügyes (kezű)	skilful, good with your hand
javít	to mend
csavarhúzó	screwdriver

33

Pastimes

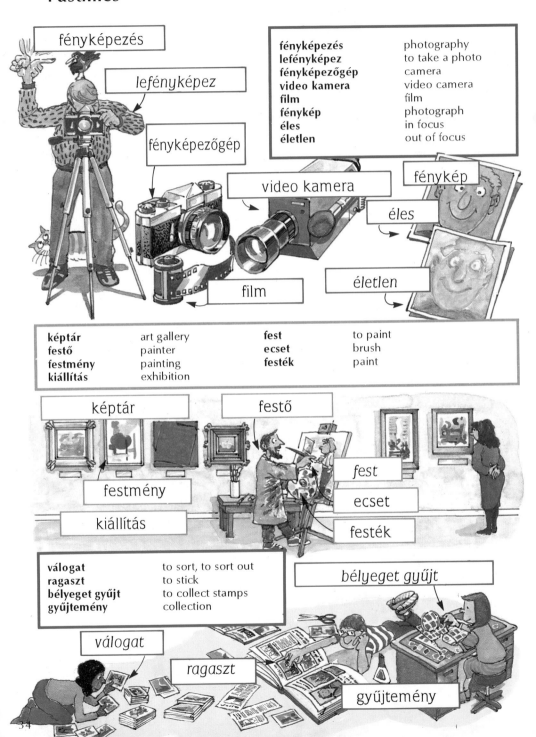

fényképezés

lefényképez

fényképezőgép

fényképezés	photography
lefényképez	to take a photo
fényképezőgép	camera
video kamera	video camera
film	film
fénykép	photograph
éles	in focus
életlen	out of focus

video kamera

fénykép

éles

életlen

film

képtár	art gallery	**fest**	to paint
festő	painter	**ecset**	brush
festmény	painting	**festék**	paint
kiállítás	exhibition		

képtár

festő

festmény

fest

ecset

kiállítás

festék

válogat	to sort, to sort out
ragaszt	to stick
bélyeget gyűjt	to collect stamps
gyűjtemény	collection

bélyeget gyűjt

válogat

ragaszt

gyűjtemény

zenész	musician	**dobol**	to play the drums
hangszer	instrument	**trombitál**	to play the trumpet
hegedül	to play the violin	**csellózik**	to play the cello
zongorázik	to play the piano	**zenekar**	orchestra
gitározik	to play the guitar	**karmester**	conductor

zenész

hangszer

hegedül

zongorázik

gitározik

dobol

csellózik

trombitál

zenekar

karmester

énekel

dallam

énekel	to sing
dallam	tune
kórus	choir
hamisan énekel	to sing out of tune

hamisan énekel

játékok

kórus

kártyázik

dámát játszik

játékok	games
kártyázik	to play cards
dámát játszik	to play draughts
sakkozik	to play chess
társasjáték	board game

társasjáték

sakkozik

Going out

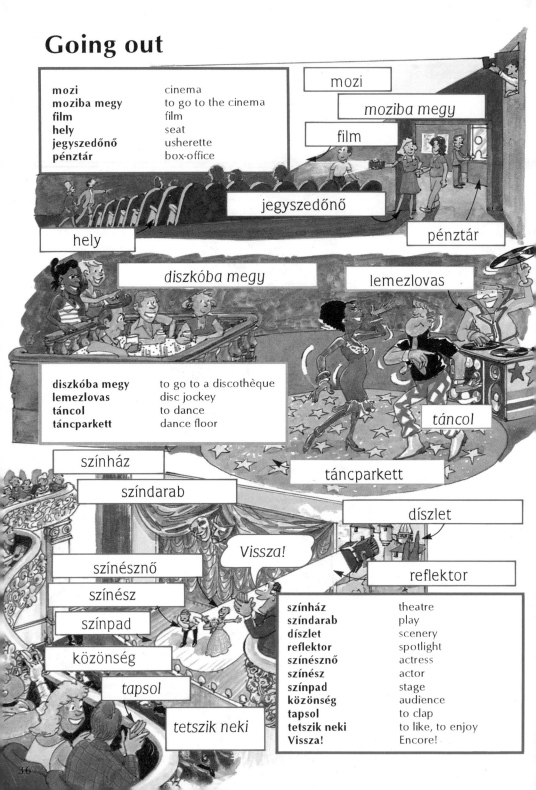

mozi	cinema
moziba megy	to go to the cinema
film	film
hely	seat
jegyszedőnő	usherette
pénztár	box-office

mozi

moziba megy

film

jegyszedőnő

pénztár

hely

diszkóba megy

lemezlovas

diszkóba megy	to go to a discothèque
lemezlovas	disc jockey
táncol	to dance
táncparkett	dance floor

táncol

táncparkett

színház

színdarab

díszlet

Vissza!

reflektor

színésznő

színész

színpad

közönség

tapsol

tetszik neki

színház	theatre
színdarab	play
díszlet	scenery
reflektor	spotlight
színésznő	actress
színész	actor
színpad	stage
közönség	audience
tapsol	to clap
tetszik neki	to like, to enjoy
Vissza!	Encore!

balett

opera

híres

balett-táncos

énekes

jelmez

balett	ballet	**opera**	opera
balett-táncos	ballet dancer	**énekes**	singer
híres	famous	**jelmez**	costume

étterem

pincér

Felszolgálási díj nélkül!

étlap

Felszolgálási díjjal együtt?

számla

Mit parancsol?

rendel

felszolgál

borravaló

tálca

előétel

fő fogás

édesség

étterem	restaurant	**édesség**	dessert, pudding
pincér	waiter	**számla**	bill
étlap	menu	**Felszolgálási díjjal**	
Mit parancsol?	What would you like?	**együtt?**	Is service included?
Felszolgálási díj		**rendel**	to order
nélkül!	Service not included!	**felszolgál**	to serve
előétel	starter	**borravaló**	tip
fő fogás	main course	**tálca**	tray

At the zoo

állatkert	zoo
állat	animal
zebra	zebra
zsiráf	giraffe
jegesmedve	polar bear
elefánt	elephant
ormány	trunk
agyar	tusk
gorilla	gorilla
vad	wild
szelíd	tame
etet	to feed
állatkerti őr	zoo keeper

állatkert

állat

zebra

zsiráf

jegesmedve

elefánt

ormány

gorilla

vad

szelíd

agyar

etet

állatkerti őr

In the park

park	park
tó	pond
evezős csónak	rowing boat
evez	to row
evező	oar
uzsonna a szabadban	picnic
pad	bench
pihen	to rest

park

tó

evező

evezős csónak

evez

pihen

uzsonna a szabadban

pad

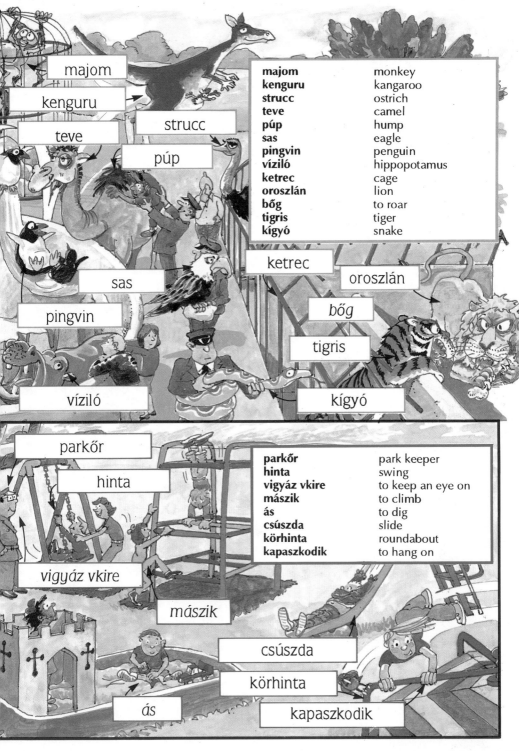

majom — monkey
kenguru — kangaroo
strucc — ostrich
teve — camel
púp — hump
sas — eagle
pingvin — penguin
víziló — hippopotamus
ketrec — cage
oroszlán — lion
bőg — to roar
tigris — tiger
kígyó — snake

majom
kenguru
strucc
teve
púp
sas
pingvin
víziló
ketrec
oroszlán
bőg
tigris
kígyó

parkőr — park keeper
hinta — swing
vigyáz vkire — to keep an eye on
mászik — to climb
ás — to dig
csúszda — slide
körhinta — roundabout
kapaszkodik — to hang on

parkőr
hinta
vigyáz vkire
mászik
csúszda
körhinta
ás
kapaszkodik

In the city

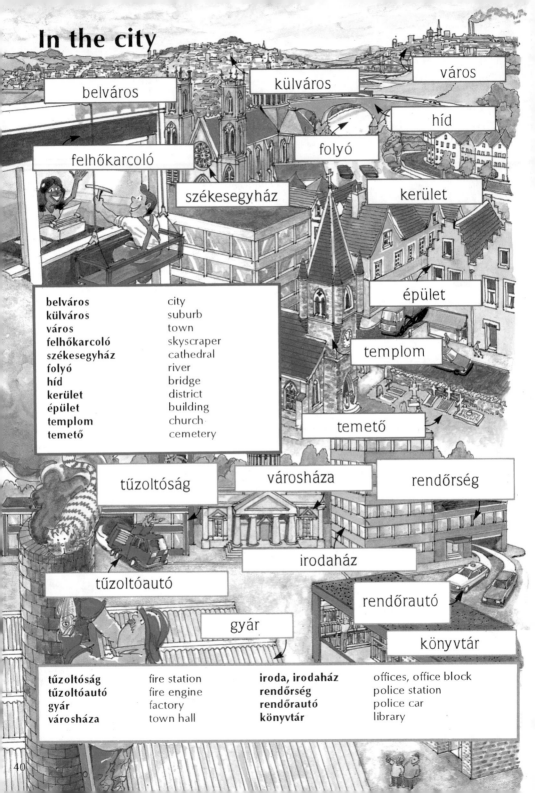

város

külváros

belváros

híd

felhőkarcoló

folyó

székesegyház

kerület

épület

templom

belváros	city
külváros	suburb
város	town
felhőkarcoló	skyscraper
székesegyház	cathedral
folyó	river
híd	bridge
kerület	district
épület	building
templom	church
temető	cemetery

temető

tűzoltóság

városháza

rendőrség

irodaház

tűzoltóautó

rendőrautó

gyár

könyvtár

tűzoltóság	fire station	**iroda, irodaház**	offices, office block
tűzoltóautó	fire engine	**rendőrség**	police station
gyár	factory	**rendőrautó**	police car
városháza	town hall	**könyvtár**	library

40

városközpont	town centre
utca	street
szűk	narrow
széles	broad
sarok	corner
átmegy az úttesten	to cross the street
zebra	pedestrian crossing
gyalogos	pedestrian
tér	square
szobor	statue
utcai lámpa	street light
piactér	market place
aluljáró	subway

újságosbódé	newspaper stand
galamb	pigeon
tömeg	crowd
forgalmas	bustling, busy
szemétláda	litter bin
járda	pavement
siet	to hurry
hirdetés	advertisement

városközpont

utca

széles

szűk

sarok

átmegy az úttesten

zebra

gyalogos

tér

szobor

piactér

utcai lámpa

aluljáró

újságosbódé

galamb

tömeg

forgalmas

hirdetés

szemétláda

járda

siet

41

Shopping

bevásárlólistát ír

bevásárlólistát ír	to make a list
bevásárlótáska	shopping bag

bevásárlótáska

üzletek

vásárol · csemegeüzlet · pékség

hentes · élelmiszerüzlet

halasbolt · rövidáruüzlet

cukrászda · gyógyszertár · könyvesbolt

virágbolt · hanglemezbolt

fodrászat · butik

üzletek	shops	**gyógyszertár**	chemist
vásárol	to go shopping	**könyvesbolt**	bookshop
hentes	butcher	**rövidáruüzlet**	haberdasher
csemegeüzlet	delicatessen	**virágbolt**	florist
élelmiszerüzlet	grocery shop	**fodrászat**	hairdresser
pékség	bakery	**hanglemezbolt**	record shop
cukrászda	cake shop	**butik**	boutique
halasbolt	fishmonger		

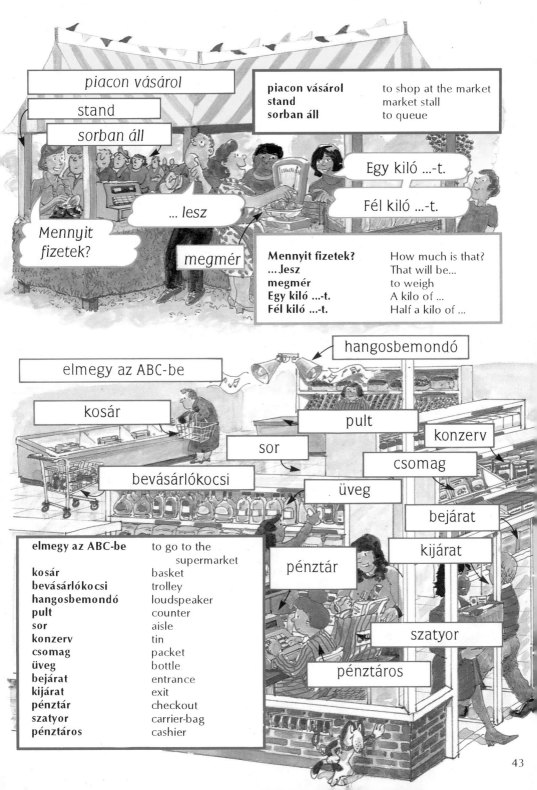

piacon vásárol

stand

sorban áll

piacon vásárol	to shop at the market
stand	market stall
sorban áll	to queue

Egy kiló ...-t.

Fél kiló ...-t.

... lesz

Mennyit fizetek?

megmér

Mennyit fizetek?	How much is that?
...lesz	That will be...
megmér	to weigh
Egy kiló ...-t.	A kilo of ...
Fél kiló ...-t.	Half a kilo of ...

hangosbemondó

elmegy az ABC-be

kosár

pult

konzerv

sor

csomag

bevásárlókocsi

üveg

bejárat

kijárat

pénztár

szatyor

pénztáros

elmegy az ABC-be	to go to the supermarket
kosár	basket
bevásárlókocsi	trolley
hangosbemondó	loudspeaker
pult	counter
sor	aisle
konzerv	tin
csomag	packet
üveg	bottle
bejárat	entrance
kijárat	exit
pénztár	checkout
szatyor	carrier-bag
pénztáros	cashier

Shopping

könyv- és papírkereskedés	bookshop and stationer's	**képeslap**	postcard
könyv	book	**golyóstoll**	ball-point pen
puhafedelű könyv	paperback	**ceruza**	pencil
boríték	envelope	**levélpapír**	writing paper

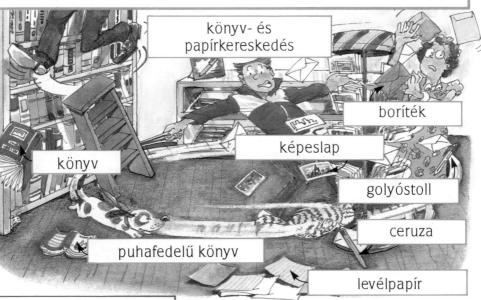

könyv- és papírkereskedés

boríték

képeslap

golyóstoll

könyv

ceruza

puhafedelű könyv

levélpapír

áruház

osztály

lift

mozgólépcső

JÁTÉK

BÚTOR

SPORTSZEREK

RUHÁZAT

áruház	department store	**Játék**	Toys
osztály	department	**Bútor**	Furniture
mozgólépcső	escalator	**Sportszerek**	Sports equipment
lift	lift	**Ruházat**	Clothes

At the post office and bank

posta	post office	**küld**	to send
postaláda	post-box	**távirat**	telegram
felad	to post	**űrlap**	form
levél	letter	**bélyeg**	stamp
csomag	parcel	**légiposta**	airmail
kiürítés időpontja	collection times	**cím**	address
irányítószám	postal code		

posta
postaláda
felad
levél
kiürítés időpontja
postás
napi posta
kézbesít
csomag
légiposta
küld
távirat
űrlap
bélyeg
cím
irányítószám

postás	postman
napi posta	mail
kézbesít	to deliver

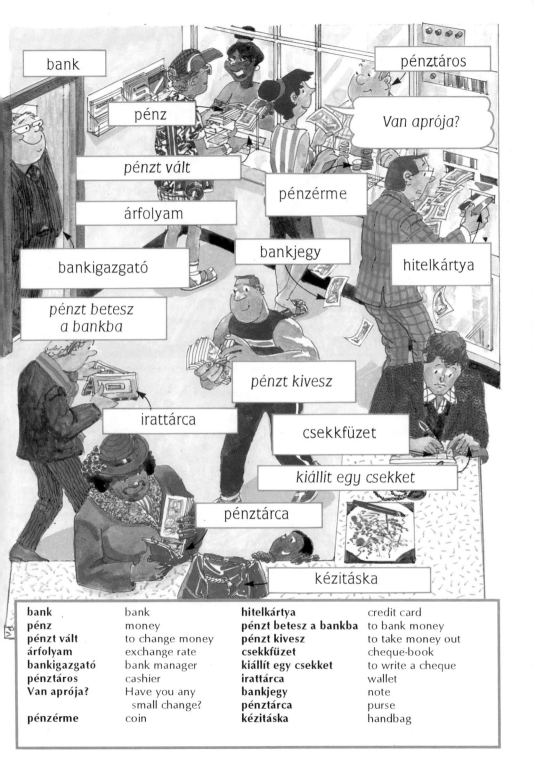

bank

pénztáros

pénz

Van aprója?

pénzt vált

pénzérme

árfolyam

bankjegy

bankigazgató

hitelkártya

pénzt betesz
a bankba

pénzt kivesz

irattárca

csekkfüzet

kiállít egy csekket

pénztárca

kézitáska

bank	bank	**hitelkártya**	credit card
pénz	money	**pénzt betesz a bankba**	to bank money
pénzt vált	to change money	**pénzt kivesz**	to take money out
árfolyam	exchange rate	**csekkfüzet**	cheque-book
bankigazgató	bank manager	**kiállít egy csekket**	to write a cheque
pénztáros	cashier	**irattárca**	wallet
Van aprója?	Have you any small change?	**bankjegy**	note
pénzérme	coin	**pénztárca**	purse
		kézitáska	handbag

Phonecalls and letters

telefonál	to make a telephone call	**cseng**	to ring
telefon	telephone	**beleszól a telefonba**	to answer the telephone
telefonkagyló	receiver	**Halló!...**	Hello...
felveszi a kagylót	to pick up the receiver	**Kivel beszélek?**	Who's speaking?
tárcsáz	to dial the number	**Laura vagyok.**	It's Laura.
telefonszám	telephone number	**Visszahívlak.**	I'll call you back.
körzetszám	area code	**Viszonthallásra.**	Good-bye.
telefonkönyv	telephone directory	**leteszi a kagylót**	to hang up

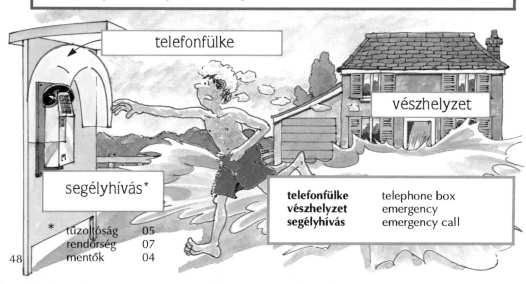

telefonfülke	telephone box
vészhelyzet	emergency
segélyhívás	emergency call

*	tűzoltóság	05
	rendőrség	07
	mentők	04

levelet ír

Kedves Uram/Hölgyem!

...-n kelt levelét köszönöm.

Mellékelten küldöm ...

Üdvözlettel

Bp., 1989. márc. 12.

... postafordultával.

levelet ír	to write a letter	**Mellékelten küldöm...**	Please find enclosed...
postafordultával	by return of post	**Kedves Uram/Hölgyem!**	Dear Sir/Madam!
Üdvözlettel	Yours faithfully	**...-n kelt levelét köszönöm**	Thank you for your letter of...

felbontja a levelet

Kedves Laura!

Nagyon örültem a levelednek.

Külön küldöm a ...

Szeretettel

Budapest, 1999. nov. 30.

felbontja a levelet	to open a letter	**Külön küldöm a ...**	I am sending ... separately.
Kedves Laura!	Dear Laura,	**Szeretettel**	Love from ...
Nagyon örültem a levelednek	It was lovely to hear from you.		

levelezőlapot küld

táviratozik

Nagyszerűen érzem magam.
Sokat gondolok rád.

Sürgős ügyben
stop hívj fel
otthon stop

levelezőlapot küld	to send a postcard	**táviratozik**	to send a telegram
Nagyszerűen érzem magam.	Having a lovely time.	**Sürgős ügyben**	Urgent message
Sokat gondolok rád.	Thinking of you.	**stop hívj fel otthon stop**	stop phone home stop

49

Out and about

gyalogol

fut

Merre van a ...?

útjelző tábla

útbaigazítást kér

Messze van innen a ...?

térkép

babakocsi

gyalogol	to walk	**útbaigazítást kér**	to ask the way
fut	to run	**térkép**	map
babakocsi	push-chair	**útjelző tábla**	signpost
Merre van a ...?	Which way is ...?	**Messze van innen a ...?**	Is it far to ...?

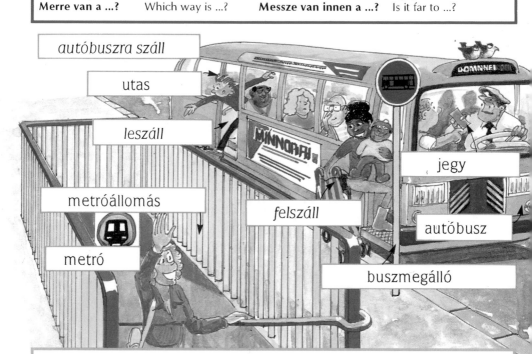

autóbuszra száll

utas

leszáll

jegy

metróállomás

felszáll

autóbusz

metró

buszmegálló

autóbuszra száll	to take the bus	**autóbusz**	bus
utas	passenger	**buszmegálló**	bus stop
leszáll	to get off	**metróállomás**	underground station
felszáll	to get on	**metró**	underground
jegy	ticket		

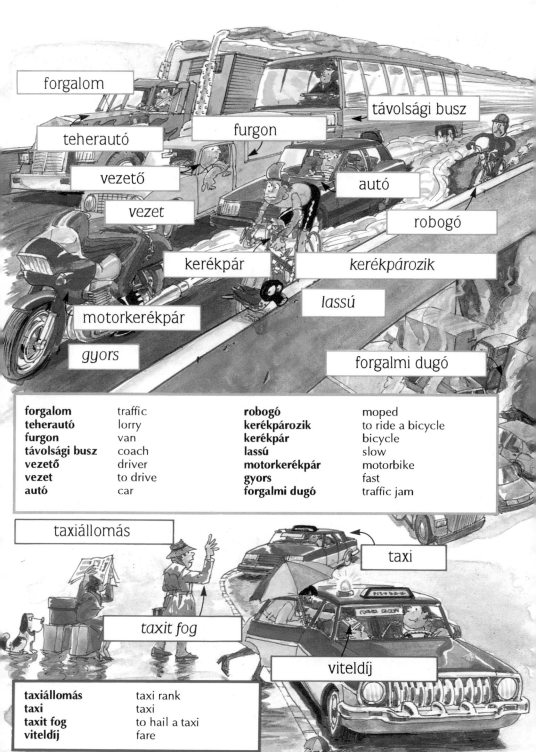

forgalom

távolsági busz

teherautó

furgon

vezető

autó

vezet

robogó

kerékpár

kerékpározik

lassú

motorkerékpár

gyors

forgalmi dugó

forgalom	traffic	**robogó**	moped
teherautó	lorry	**kerékpározik**	to ride a bicycle
furgon	van	**kerékpár**	bicycle
távolsági busz	coach	**lassú**	slow
vezető	driver	**motorkerékpár**	motorbike
vezet	to drive	**gyors**	fast
autó	car	**forgalmi dugó**	traffic jam

taxiállomás

taxi

taxit fog

viteldíj

taxiállomás	taxi rank
taxi	taxi
taxit fog	to hail a taxi
viteldíj	fare

Driving

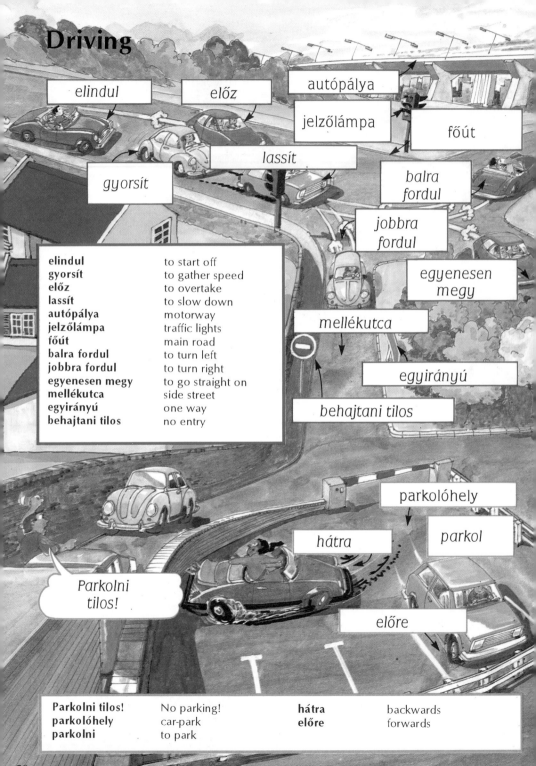

elindul

előz

autópálya

jelzőlámpa

főút

lassít

gyorsít

balra fordul

jobbra fordul

egyenesen megy

mellékutca

egyirányú

behajtani tilos

elindul	to start off
gyorsít	to gather speed
előz	to overtake
lassít	to slow down
autópálya	motorway
jelzőlámpa	traffic lights
főút	main road
balra fordul	to turn left
jobbra fordul	to turn right
egyenesen megy	to go straight on
mellékutca	side street
egyirányú	one way
behajtani tilos	no entry

parkolóhely

hátra

parkol

Parkolni tilos!

előre

Parkolni tilos!	No parking!	**hátra**	backwards
parkolóhely	car-park	**előre**	forwards
parkolni	to park		

ütközés	collision
kormány	steering wheel
szélvédő	windscreen
biztonsági öv	safety belt
irányjelző	indicator
fényszóró	headlight
motorháztető	bonnet
csomagtartó	boot
rendszámtábla	number plate
kerék	wheel
gumi	tyre
kürt	horn

ütközés

kormány

szélvédő

irányjelző

biztonsági öv

fényszóró

motorháztető

csomagtartó

rendszámtábla

kerék

gumi

defektes a kereke

kürt

lerobban az autó

olaj

autószerelő

benzinkút

tankol

benzin

defektes a kereke	to have a flat tyre
lerobban az autó	to have a breakdown
autószerelő	mechanic
olaj	oil
benzinkút	petrol station
tankol	to fill up with petrol
benzin	petrol

Travelling by train

állomás	station	**...-ból érkező vonat**	The train from ...
hordár	porter	**jegypénztár**	ticket office
csomagmegőrző	left luggage office	**jegy**	ticket
jegyszedő	ticket collector	**menettérti jegy**	return ticket
váróterem	waiting-room	**bérlet**	season ticket
sorompó	barrier	**jegyautomata**	ticket machine
utas	passenger	**helyjegyet vesz**	to reserve a seat
menetrend	timetable	**peronjegy**	platform ticket...
-ba induló vonat	The train to...		

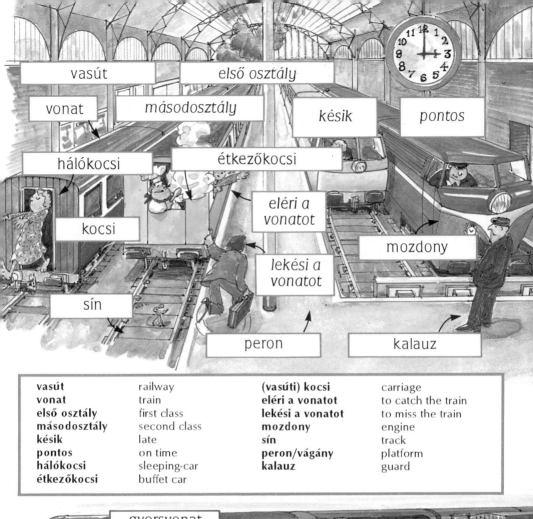

vasút

első osztály

vonat

másodosztály

késik

pontos

hálókocsi

étkezőkocsi

eléri a vonatot

kocsi

mozdony

lekési a vonatot

sín

peron

kalauz

vasút	railway	**(vasúti) kocsi**	carriage
vonat	train	**eléri a vonatot**	to catch the train
első osztály	first class	**lekési a vonatot**	to miss the train
másodosztály	second class	**mozdony**	engine
késik	late	**sín**	track
pontos	on time	**peron/vágány**	platform
hálókocsi	sleeping-car	**kalauz**	guard
étkezőkocsi	buffet car		

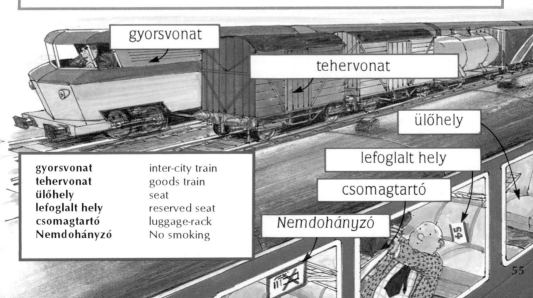

gyorsvonat

tehervonat

ülőhely

lefoglalt hely

csomagtartó

Nemdohányzó

gyorsvonat	inter-city train
tehervonat	goods train
ülőhely	seat
lefoglalt hely	reserved seat
csomagtartó	luggage-rack
Nemdohányzó	No smoking

Travelling by plane and boat

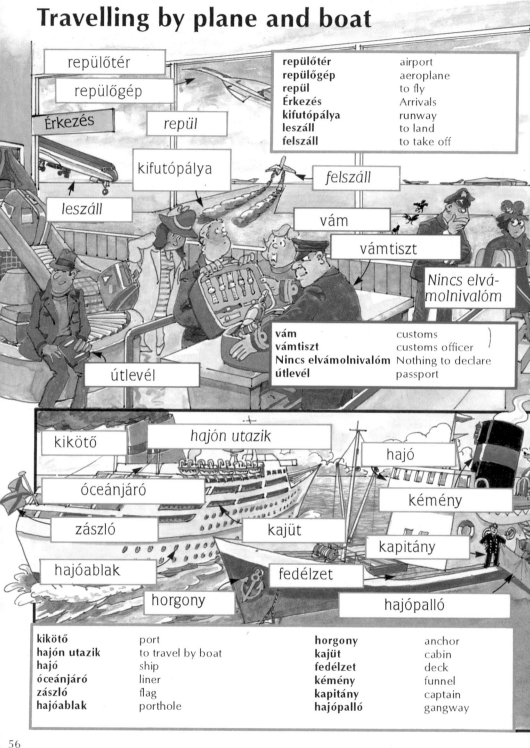

repülőtér

repülőgép

Érkezés

repül

kifutópálya

felszáll

leszáll

vám

vámtiszt

Nincs elvámolnivalóm

útlevél

repülőtér	airport
repülőgép	aeroplane
repül	to fly
Érkezés	Arrivals
kifutópálya	runway
leszáll	to land
felszáll	to take off

vám	customs
vámtiszt	customs officer
Nincs elvámolnivalóm	Nothing to declare
útlevél	passport

kikötő

hajón utazik

hajó

óceánjáró

kémény

zászló

kajüt

kapitány

hajóablak

fedélzet

horgony

hajópalló

kikötő	port		horgony	anchor
hajón utazik	to travel by boat		kajüt	cabin
hajó	ship		fedélzet	deck
óceánjáró	liner		kémény	funnel
zászló	flag		kapitány	captain
hajóablak	porthole		hajópalló	gangway

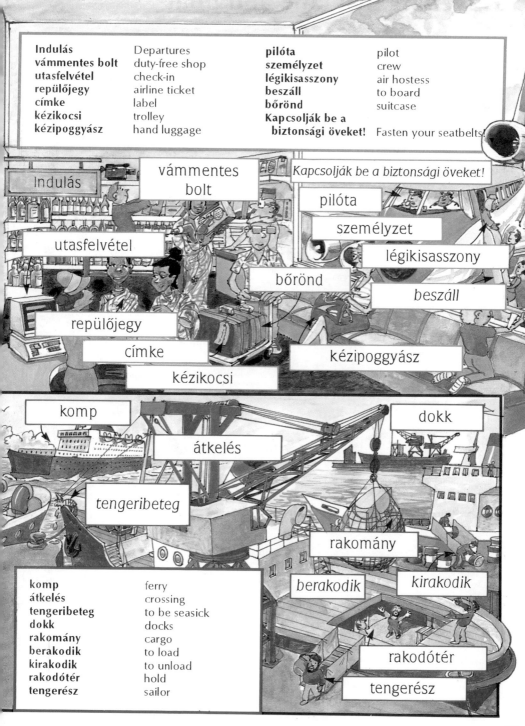

Indulás	Departures	pilóta	pilot
vámmentes bolt	duty-free shop	személyzet	crew
utasfelvétel	check-in	légikisasszony	air hostess
repülőjegy	airline ticket	beszáll	to board
címke	label	bőrönd	suitcase
kézikocsi	trolley	**Kapcsolják be a**	
kézipoggyász	hand luggage	**biztonsági öveket!**	Fasten your seatbelts!

Indulás

vámmentes bolt

Kapcsolják be a biztonsági öveket!

pilóta

utasfelvétel

személyzet

légikisasszony

bőrönd

beszáll

repülőjegy

címke

kézipoggyász

kézikocsi

komp

dokk

átkelés

tengeribeteg

rakomány

berakodik

kirakodik

komp	ferry
átkelés	crossing
tengeribeteg	to be seasick
dokk	docks
rakomány	cargo
berakodik	to load
kirakodik	to unload
rakodótér	hold
tengerész	sailor

rakodótér

tengerész

Holidays

nyaralni megy

becso-
magol

turista

nyaralni megy	to go on holiday
becsomagol	to pack
napolaj	suntan lotion
napszemüveg	sunglasses
turista	tourist
megnéz	to visit, to sightsee

napolaj

napszemüveg

megnéz

szállodában lakik

szálloda

recepció

fürdő-
szobával

hordár

egyágyas
szoba

erkéllyel

kétágyas szoba

szobát foglal

panzió

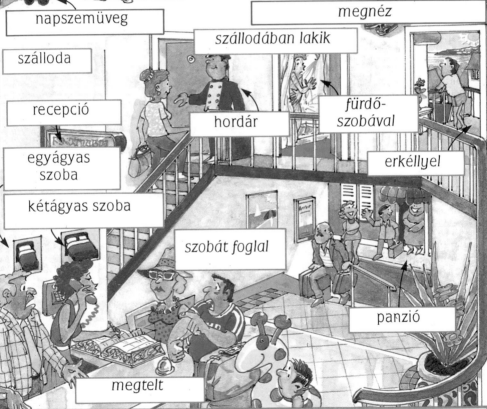

megtelt

szálloda	hotel	**szobát foglal**	to reserve a room
szállodában lakik	to stay in a hotel	**megtelt**	fully booked
recepció	reception	**fürdőszobával**	with bathroom
szállodai boy, hordár	porter	**erkéllyel**	with balcony
egyágyas szoba	single room	**panzió**	guest house
kétágyas szoba	double room		

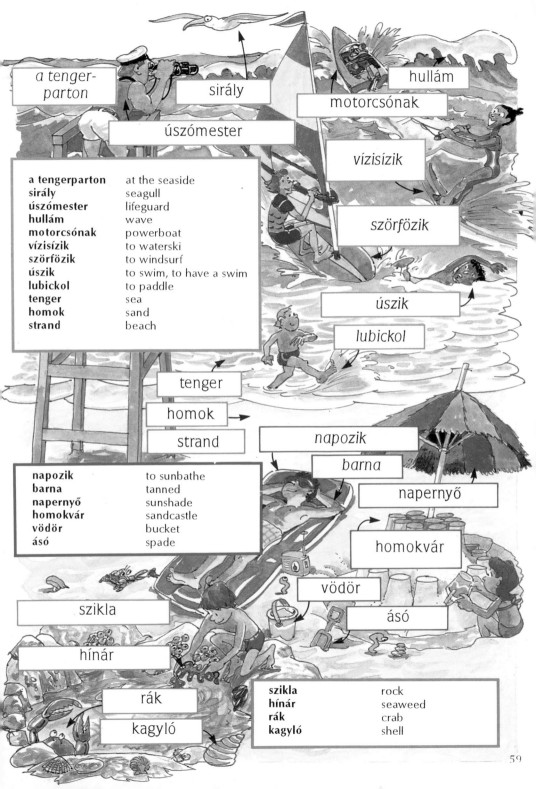

a tengerparton	at the seaside
sirály	seagull
úszómester	lifeguard
hullám	wave
motorcsónak	powerboat
vízisízik	to waterski
szörfözik	to windsurf
úszik	to swim, to have a swim
lubickol	to paddle
tenger	sea
homok	sand
strand	beach

napozik	to sunbathe
barna	tanned
napernyő	sunshade
homokvár	sandcastle
vödör	bucket
ásó	spade

szikla	rock
hínár	seaweed
rák	crab
kagyló	shell

a tenger-
parton

sirály

úszómester

hullám

motorcsónak

vízisízik

szörfözik

úszik

lubickol

tenger

homok

strand

napozik

barna

napernyő

homokvár

vödör

ásó

szikla

hínár

rák

kagyló

Holidays

hegyet mászik	to go mountaineering
hegy	mountain
csúcs	summit
kilátás	view
meredek	steep
mászik	to climb
hegymászó	climber
hátizsák	rucksack, backpack

síel

síelőhely

csúcs

hegyet mászik

sífelvonó

kilátás

hegy

mászik

meredek

hegymászó

síoktató

hátizsák

sípálya

szánkó

síbot

sícipő

síléc

síel	to go skiing
síelőhely	ski resort
sífelvonó	chairlift
síoktató	ski instructor
sípálya	ski slope, ski run
szánkó	sledge
síbot	ski pole
sícipő	ski boots
síléc	skis

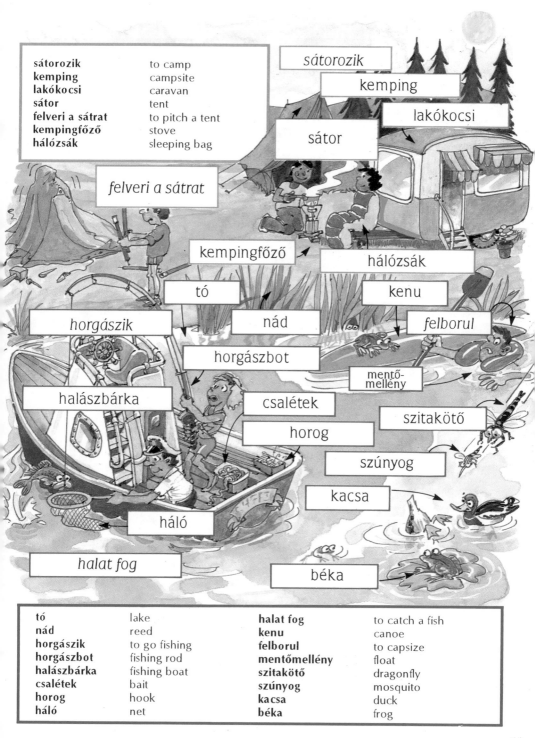

sátorozik	to camp
kemping	campsite
lakókocsi	caravan
sátor	tent
felveri a sátrat	to pitch a tent
kempingfőző	stove
hálózsák	sleeping bag

sátorozik

kemping

lakókocsi

sátor

felveri a sátrat

kempingfőző

hálózsák

tó

kenu

horgászik

nád

felborul

horgászbot

mentő-mellény

halászbárka

csalétek

szitakötő

horog

szúnyog

kacsa

háló

halat fog

béka

tó	lake	**halat fog**	to catch a fish
nád	reed	**kenu**	canoe
horgászik	to go fishing	**felborul**	to capsize
horgászbot	fishing rod	**mentőmellény**	float
halászbárka	fishing boat	**szitakötő**	dragonfly
csalétek	bait	**szúnyog**	mosquito
horog	hook	**kacsa**	duck
háló	net	**béka**	frog

In the countryside

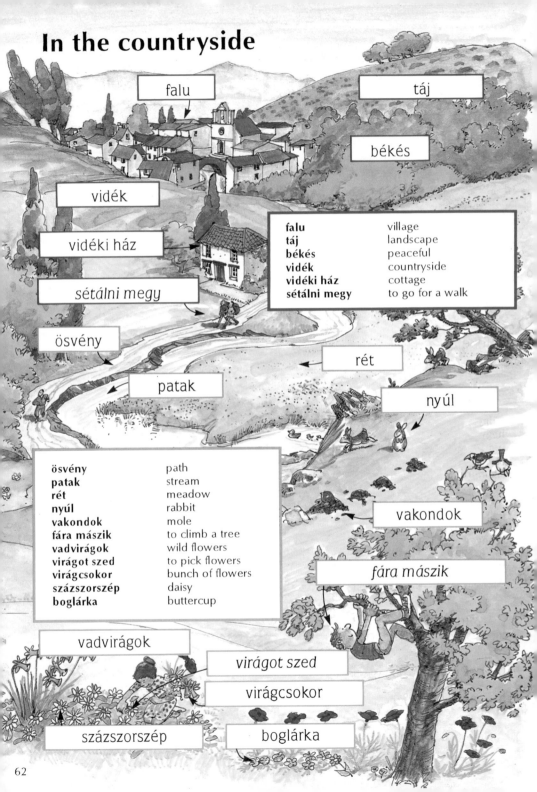

falu

táj

békés

vidék

vidéki ház

sétálni megy

ösvény

rét

patak

nyúl

falu	village
táj	landscape
békés	peaceful
vidék	countryside
vidéki ház	cottage
sétálni megy	to go for a walk

ösvény	path
patak	stream
rét	meadow
nyúl	rabbit
vakondok	mole
fára mászik	to climb a tree
vadvirágok	wild flowers
virágot szed	to pick flowers
virágcsokor	bunch of flowers
százszorszép	daisy
boglárka	buttercup

vakondok

fára mászik

vadvirágok

virágot szed

virágcsokor

százszorszép

boglárka

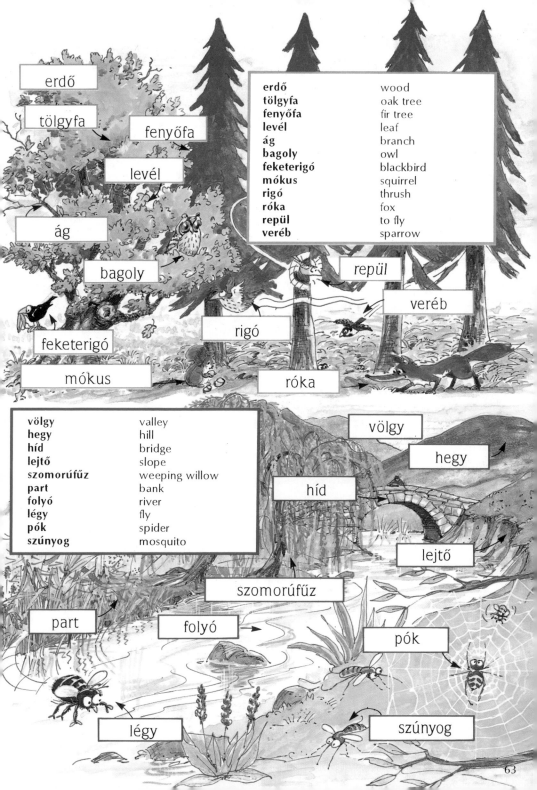

erdő

tölgyfa

fenyőfa

levél

ág

bagoly

feketerigó

mókus

erdő	wood
tölgyfa	oak tree
fenyőfa	fir tree
levél	leaf
ág	branch
bagoly	owl
feketerigó	blackbird
mókus	squirrel
rigó	thrush
róka	fox
repül	to fly
veréb	sparrow

repül

veréb

rigó

róka

völgy	valley
hegy	hill
híd	bridge
lejtő	slope
szomorúfűz	weeping willow
part	bank
folyó	river
légy	fly
pók	spider
szúnyog	mosquito

völgy

hegy

híd

lejtő

szomorúfűz

part

folyó

pók

légy

szúnyog

63

On the farm

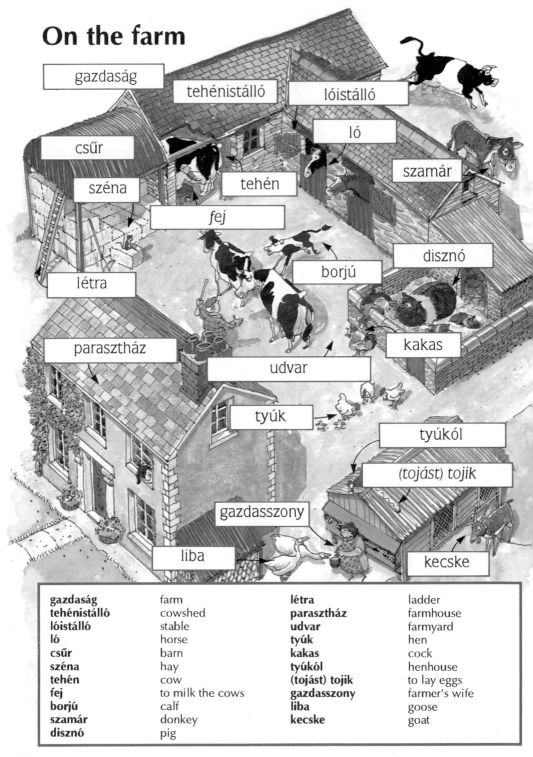

gazdaság

tehénistálló

lóistálló

ló

csűr

szamár

széna

tehén

fej

disznó

borjú

létra

parasztház

kakas

udvar

tyúk

tyúkól

(tojást) tojik

gazdasszony

liba

kecske

gazdaság	farm	**létra**	ladder
tehénistálló	cowshed	**parasztház**	farmhouse
lóistálló	stable	**udvar**	farmyard
ló	horse	**tyúk**	hen
csűr	barn	**kakas**	cock
széna	hay	**tyúkól**	henhouse
tehén	cow	**(tojást) tojik**	to lay eggs
fej	to milk the cows	**gazdasszony**	farmer's wife
borjú	calf	**liba**	goose
szamár	donkey	**kecske**	goat
disznó	pig		

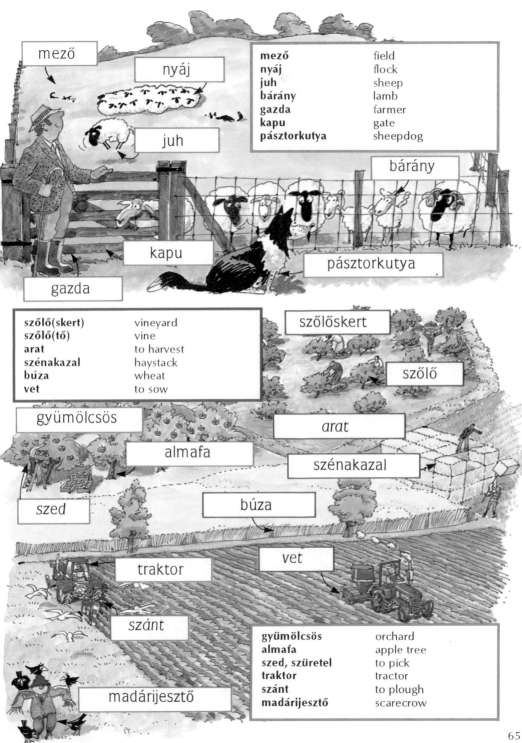

mező

nyáj

juh

mező	field
nyáj	flock
juh	sheep
bárány	lamb
gazda	farmer
kapu	gate
pásztorkutya	sheepdog

bárány

kapu

pásztorkutya

gazda

szőlő(skert)	vineyard
szőlő(tő)	vine
arat	to harvest
szénakazal	haystack
búza	wheat
vet	to sow

szőlőskert

szőlő

gyümölcsös

arat

almafa

szénakazal

szed

búza

vet

traktor

szánt

madárijesztő

gyümölcsös	orchard
almafa	apple tree
szed, szüretel	to pick
traktor	tractor
szánt	to plough
madárijesztő	scarecrow

At work

elkésik

ebédidő

munkába megy

pontos

túlóra

munkába megy	to go to work	**ebédidő**	lunch hour
elkésik	to be late	**túlóra**	overtime
pontos	to be on time		

iroda

alkalmaz valakit

szorgalmas

nyugdíjba megy

főnök

lusta

titkárnő

alkalmazott

elbocsát valakit

iroda	office	**szorgalmas**	hard-working
főnök	boss	**lusta**	lazy
titkár(nő)	secretary	**nyugdíjba megy**	to retire
alkalmaz vkit	to employ someone	**elbocsát vkit**	to fire someone
alkalmazott	employee		

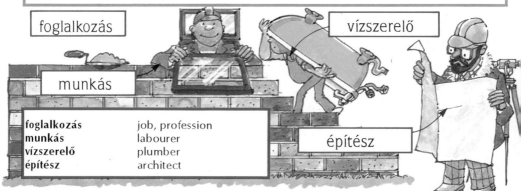

foglalkozás

vízszerelő

munkás

építész

foglalkozás	job, profession
munkás	labourer
vízszerelő	plumber
építész	architect

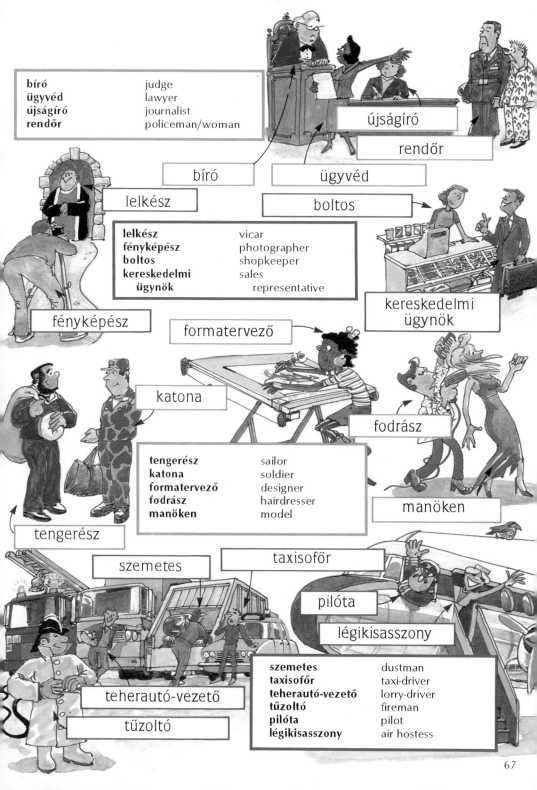

bíró	judge
ügyvéd	lawyer
újságíró	journalist
rendőr	policeman/woman

újságíró

rendőr

bíró

ügyvéd

lelkész

boltos

lelkész	vicar
fényképész	photographer
boltos	shopkeeper
kereskedelmi ügynök	sales representative

kereskedelmi ügynök

fényképész

formatervező

katona

fodrász

tengerész	sailor
katona	soldier
formatervező	designer
fodrász	hairdresser
manöken	model

manöken

tengerész

taxisofőr

szemetes

pilóta

légikisasszony

teherautó-vezető

tűzoltó

szemetes	dustman
taxisofőr	taxi-driver
teherautó-vezető	lorry-driver
tűzoltó	fireman
pilóta	pilot
légikisasszony	air hostess

Illness and health

rosszul érzi magát

lázat mér

hőmérő

lázas

orvos

recept

gyógyít

jobban érzi magát

tabletta

egészséges

rosszul érzi magát	to feel ill	**recept**	prescription
lázat mér	to take someone's temperature	**(meg)gyógyít**	to cure
		tabletta	pill
hőmérő	thermometer	**jobban érzi magát**	to feel better
lázas	to have a temperature	**egészséges**	healthy
orvos	doctor		

náthás

tüsszög

elájul

fáj a hasa

hányingere van

fáj a feje

náthás	to have a cold
tüsszög	to sneeze
elájul	to faint
fáj a hasa	to have stomach ache
hányingere van	to be sick
fáj a feje	to have a headache

fogorvos

betömik a fogát

injekció

fáj a foga

fogorvos	dentist
betömik a fogát	to have a filling
injekció	injection
fáj a foga	to have toothache

kórház	hospital	**égési sérülés**	burn
baleseti sebészet	casualty department	**kificamítja a csuklóját**	to sprain your wrist
eltöri a lábát	to break your leg	**sebtapasz**	sticking plaster
zúzódás	bruise	**kötés**	bandage
seb	wound		

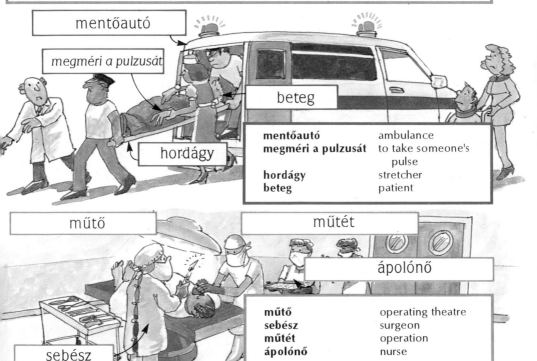

mentőautó	ambulance
megméri a pulzusát	to take someone's pulse
hordágy	stretcher
beteg	patient

műtő	operating theatre
sebész	surgeon
műtét	operation
ápolónő	nurse

69

School and education

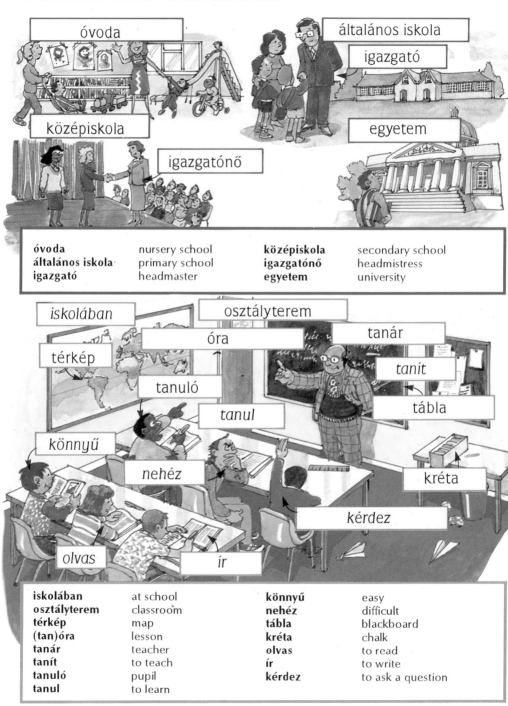

óvoda
általános iskola
igazgató
középiskola
igazgatónő
egyetem

óvoda	nursery school	**középiskola**	secondary school
általános iskola	primary school	**igazgatónő**	headmistress
igazgató	headmaster	**egyetem**	university

iskolában
osztályterem
óra
tanár
térkép
tanít
tanuló
tanul
tábla
könnyű
nehéz
kréta
kérdez
olvas
ír

iskolában	at school	**könnyű**	easy
osztályterem	classroom	**nehéz**	difficult
térkép	map	**tábla**	blackboard
(tan)óra	lesson	**kréta**	chalk
tanár	teacher	**olvas**	to read
tanít	to teach	**ír**	to write
tanuló	pupil	**kérdez**	to ask a question
tanul	to learn		

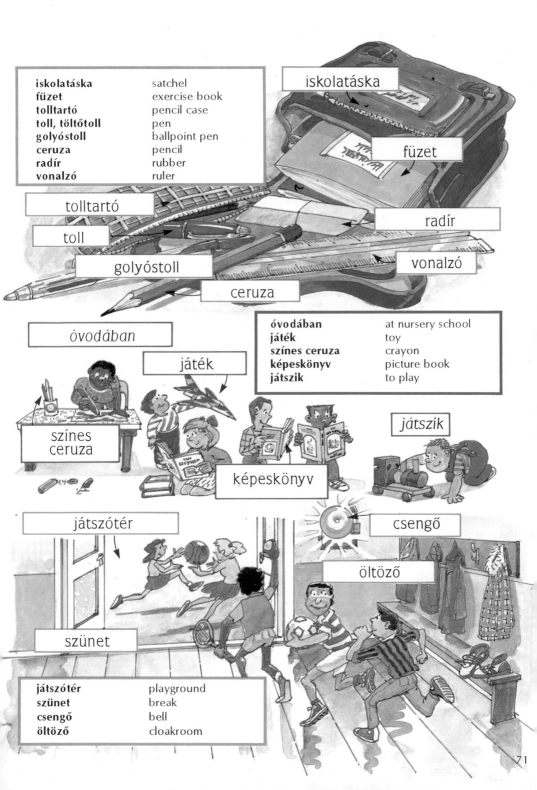

iskolatáska	satchel
füzet	exercise book
tolltartó	pencil case
toll, töltőtoll	pen
golyóstoll	ballpoint pen
ceruza	pencil
radír	rubber
vonalzó	ruler

iskolatáska

füzet

tolltartó

toll

radír

golyóstoll

vonalzó

ceruza

óvodában

óvodában	at nursery school
játék	toy
színes ceruza	crayon
képeskönyv	picture book
játszik	to play

játék

játszik

színes
ceruza

képeskönyv

játszótér

csengő

öltöző

szünet

játszótér	playground
szünet	break
csengő	bell
öltöző	cloakroom

71

School and education

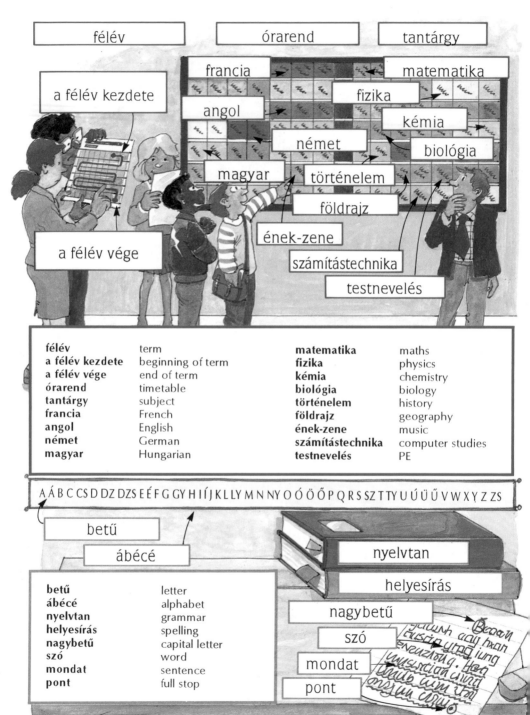

félév

órarend

tantárgy

a félév kezdete

francia

matematika

angol

fizika

német

kémia

magyar

biológia

történelem

földrajz

a félév vége

ének-zene

számítástechnika

testnevelés

félév	term	**matematika**	maths
a félév kezdete	beginning of term	**fizika**	physics
a félév vége	end of term	**kémia**	chemistry
órarend	timetable	**biológia**	biology
tantárgy	subject	**történelem**	history
francia	French	**földrajz**	geography
angol	English	**ének-zene**	music
német	German	**számítástechnika**	computer studies
magyar	Hungarian	**testnevelés**	PE

A Á B C CS D DZ DZS E É F G GY H I Í J K L LY M N NY O Ó Ö Ő P Q R S SS SZ T TY U Ú Ü Ű V W X Y Z ZS

betű

ábécé

nyelvtan

helyesírás

nagybetű

szó

mondat

pont

betű	letter
ábécé	alphabet
nyelvtan	grammar
helyesírás	spelling
nagybetű	capital letter
szó	word
mondat	sentence
pont	full stop

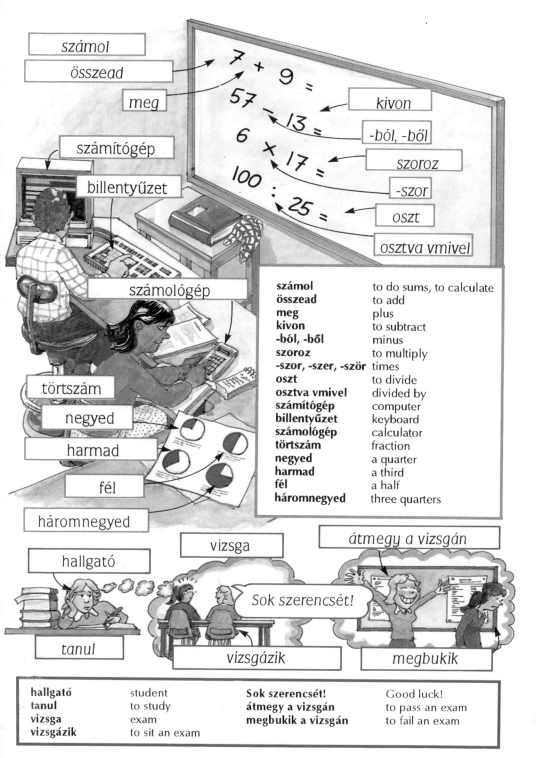

számol
összead
meg

$7 + 9 =$
$57 - 13 =$
$6 \times 17 =$
$100 : 25 =$

kivon
-ból, -ből
szoroz
-szor
oszt
osztva vmivel

számítógép
billentyűzet
számológép

törtszám
negyed
harmad
fél
háromnegyed

számol	to do sums, to calculate
összead	to add
meg	plus
kivon	to subtract
-ból, -ből	minus
szoroz	to multiply
-szor, -szer, -ször	times
oszt	to divide
osztva vmivel	divided by
számítógép	computer
billentyűzet	keyboard
számológép	calculator
törtszám	fraction
negyed	a quarter
harmad	a third
fél	a half
háromnegyed	three quarters

hallgató
vizsga
átmegy a vizsgán
Sok szerencsét!
tanul
vizsgázik
megbukik

hallgató	student	**Sok szerencsét!**	Good luck!
tanul	to study	**átmegy a vizsgán**	to pass an exam
vizsga	exam	**megbukik a vizsgán**	to fail an exam
vizsgázik	to sit an exam		

Shapes and sizes

alak	shape
kör	circle
négyzet	square
háromszög	triangle
kúp	cone
téglalap	rectangle

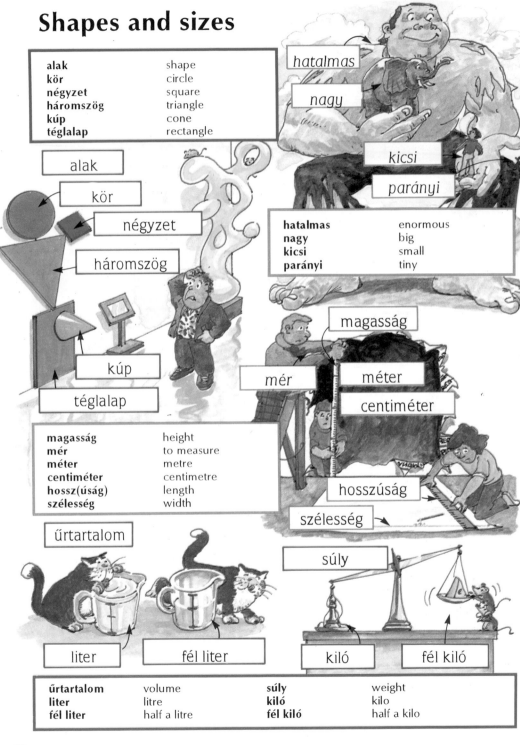

hatalmas

nagy

kicsi

parányi

alak

kör

négyzet

háromszög

kúp

téglalap

hatalmas	enormous
nagy	big
kicsi	small
parányi	tiny

magasság

mér

méter

centiméter

hosszúság

szélesség

magasság	height
mér	to measure
méter	metre
centiméter	centimetre
hossz(úság)	length
szélesség	width

űrtartalom

súly

liter

fél liter

kiló

fél kiló

űrtartalom	volume	súly	weight
liter	litre	kiló	kilo
fél liter	half a litre	fél kiló	half a kilo

Numbers

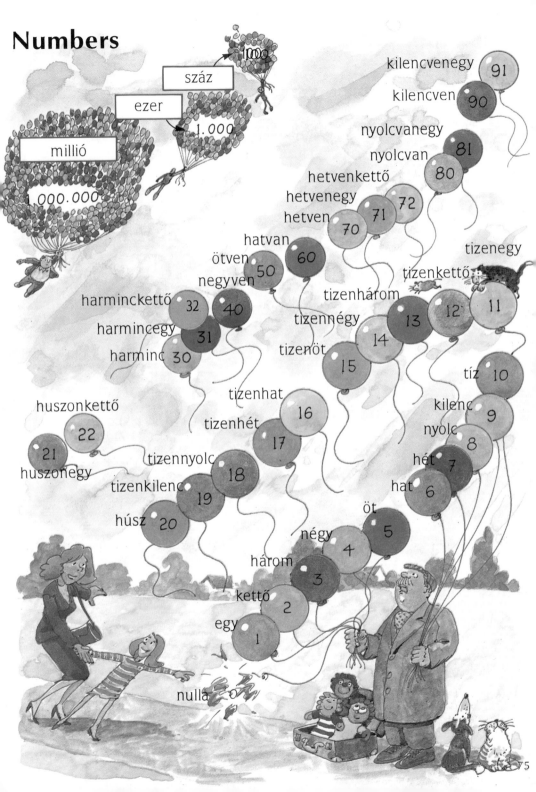

száz — 1000

ezer — 1.000

millió — 1.000.000

kilencvenegy 91
kilencven 90
nyolcvanegy 81
nyolcvan 80
hetvenkettő 72
hetvenegy 71
hetven 70
hatvan 60
ötven 50
negyven 40
harminckettő 32
harmincegy 31
harminc 30
huszonkettő 22
huszonegy 21
húsz 20
tizennyolc
tizenkilenc 19
húsz 20
tizenhat
tizenhét 16
17
18

tizenegy 11
tizenkettő 12
tizenhárom 13
tizennégy 14
tizenöt 15
tíz 10
kilenc 9
nyolc 8
hét 7
hat 6
öt 5
négy 4
három 3
kettő 2
egy 1

nulla

75

Sport

edzett

kocog

hajpánt

edz

tornacipő

melegítő

edzett	to be fit	**hajpánt**	headband
edz	to exercise	**tornacipő**	tennis shoes
kocog	to jog	**melegítő**	tracksuit

golfozik

golfütő

teniszezik

teniszpálya

fallabdázik

játékos

adogat

Bent volt.

Kint volt.

háló

labda

ütő

teniszezik	to play tennis	**háló**	net
teniszpálya	tennis court	**labda**	ball
játékos	player	**ütő**	racket
adogat	to serve	**golfozik**	to play golf
Bent volt.	In.	**golfütő**	golf club
Kint volt.	Out.	**fallabdázik**	to play squash

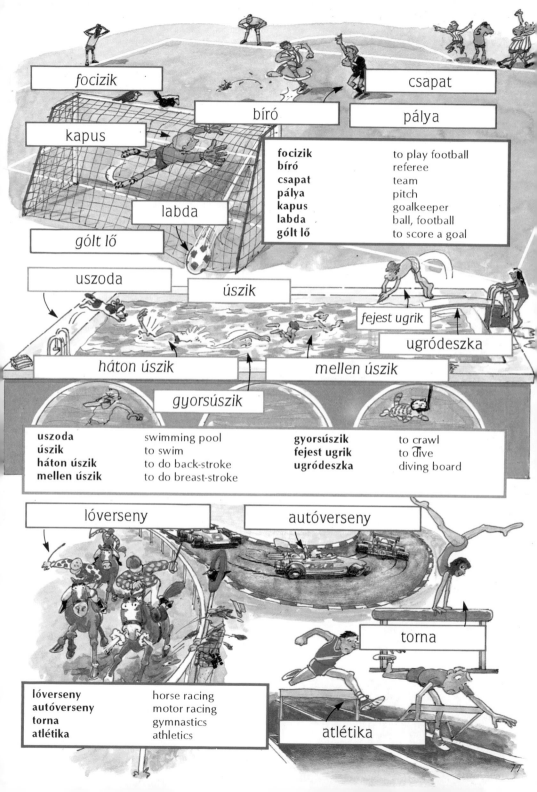

focizik

csapat

bíró

pálya

kapus

labda

gólt lő

focizik	to play football
bíró	referee
csapat	team
pálya	pitch
kapus	goalkeeper
labda	ball, football
gólt lő	to score a goal

uszoda

úszik

fejest ugrik

ugródeszka

háton úszik

mellen úszik

gyorsúszik

uszoda	swimming pool	gyorsúszik	to crawl
úszik	to swim	fejest ugrik	to dive
háton úszik	to do back-stroke	ugródeszka	diving board
mellen úszik	to do breast-stroke		

lóverseny

autóverseny

torna

lóverseny	horse racing
autóverseny	motor racing
torna	gymnastics
atlétika	athletics

atlétika

77

Celebrations

születésnap	birthday
buli	party
lufi	balloon
Boldog születésnapot!	Happy birthday!
meghív	to invite
jól mulat	to have fun, to enjoy yourself
torta	cake
üdvözlőlap	birthday card
ajándék	present
csomagolás	wrapping
gyertya	candle

születésnap

buli

lufi

Boldog születésnapot!

meghív

jól mulat

torta

gyertya

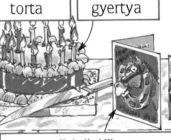

ajándék

csomagolás

üdvözlőlap

szenteste

húsvét

karácsony

karácsony első napja

karácsonyfa

húsvét	Easter
karácsony	Christmas
szenteste	Christmas Eve
karácsony első napja	Christmas Day
karácsonyfa	Christmas tree

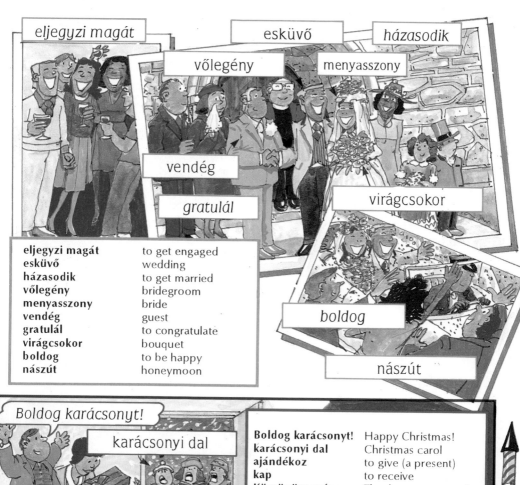

eljegyzi magát

esküvő

házasodik

vőlegény

menyasszony

vendég

gratulál

virágcsokor

boldog

nászút

eljegyzi magát	to get engaged
esküvő	wedding
házasodik	to get married
vőlegény	bridegroom
menyasszony	bride
vendég	guest
gratulál	to congratulate
virágcsokor	bouquet
boldog	to be happy
nászút	honeymoon

Boldog karácsonyt!

karácsonyi dal

ajándékoz

kap

Köszönöm szépen.

megköszön

Boldog karácsonyt!	Happy Christmas!
karácsonyi dal	Christmas carol
ajándékoz	to give (a present)
kap	to receive
Köszönöm szépen.	Thank you very much.
megköszön	to thank

szilveszter

újév napja

ünnepel

Boldog új évet!

szilveszter	New Year's Eve
újév napja	New Year's Day
ünnepel	to celebrate
Boldog új évet!	Happy New Year!

Days and dates

naptár

hónap

január
február
március
április
május
június
július
augusztus
szeptember
október
november
december

év

naptár	calendar
hónap	month
január	January
február	February
március	March
április	April
május	May
június	June
július	July
augusztus	August
szeptember	September
október	October
november	November
december	December
év	year
nap	day
hét	week
hétvége	week-end
hétfő	Monday
kedd	Tuesday
szerda	Wednesday
csütörtök	Thursday
péntek	Friday
szombat	Saturday
vasárnap	Sunday

hétfő

nap

kedd
szerda

hét

csütörtök
péntek
szombat

hétvége

vasárnap

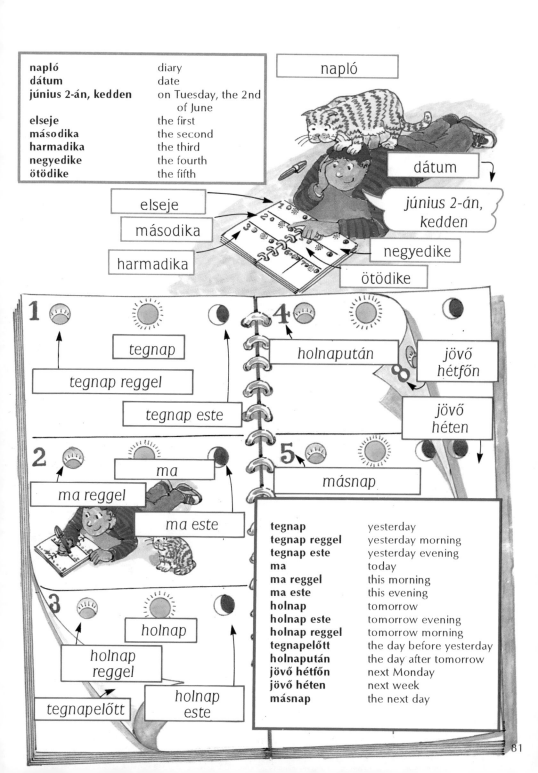

napló	diary
dátum	date
június 2-án, kedden	on Tuesday, the 2nd of June
elseje	the first
másodika	the second
harmadika	the third
negyedike	the fourth
ötödike	the fifth

napló

dátum

június 2-án, kedden

elseje

másodika

harmadika

negyedike

ötödike

1
tegnap
tegnap reggel
tegnap este

2
ma
ma reggel
ma este

3
holnap
holnap reggel
holnap este
tegnapelőtt

4
holnapután
jövő hétfőn
jövő héten

5
másnap

tegnap	yesterday
tegnap reggel	yesterday morning
tegnap este	yesterday evening
ma	today
ma reggel	this morning
ma este	this evening
holnap	tomorrow
holnap este	tomorrow evening
holnap reggel	tomorrow morning
tegnapelőtt	the day before yesterday
holnapután	the day after tomorrow
jövő hétfőn	next Monday
jövő héten	next week
másnap	the next day

Time

hajnal	dawn	**Világos van.**	It is light.
napkelte	sunrise	**nap**	day
Virrad.	It is getting light.	**nappal**	in the daytime
Nap	sun	**reggel**	morning, in the morning
ég	sky		

délután	afternoon, in the afternoon	**Sötétedik.**	It is getting dark.
		éjjel	night, at night
este	evening, in the evening	**csillagok**	stars
		Hold	moon
naplemente	sunset	**Sötét van.**	It is dark.

Hány óra van?	What time is it?	**éjfél**	midnight
óra	hour	**háromnegyed tíz**	a quarter to ten
perc	minute	**öt perccel múlt tíz**	five past ten
másodperc	second	**negyed tizenegy**	a quarter past ten
Egy óra van.	It is 1 o'clock.	**fél tizenegy**	half past ten
Három óra van.	It is 3 o'clock.	**reggel nyolc**	8 a.m.
dél	midday	**este nyolc**	8 p.m.

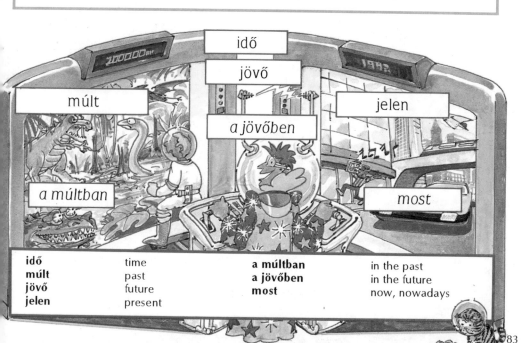

idő	time	**a múltban**	in the past
múlt	past	**a jövőben**	in the future
jövő	future	**most**	now, nowadays
jelen	present		

Weather and seasons

évszak	season
tavasz	spring
nyár	summer
ősz	autumn
tél	winter

évszak

tavasz

időjárás

Esik az eső.

tél

eső

vihar

felhő

ősz

nyár

villám

mennydörgés

szivárvány

esernyő

bőrig ázott

gumicsizma

pocsolya

esőcsepp

jégeső

árvíz

időjárás	weather
Esik az eső.	It's raining.
eső	rain
vihar	thunderstorm
felhő	cloud
villám	lightning
mennydörgés	thunder
esernyő	umbrella
szivárvány	rainbow
gumicsizma	wellington boots
bőrig ázott	soaked to the skin
pocsolya	puddle
esőcsepp	raindrop
árvíz	flood
jégeső	hail

éghajlat	climate
időjárás-jelentés	weather forecast
Milyen idő van?	What is the weather like?

éghajlat

időjárás-jelentés

Milyen idő van?

Szép idő van.

Süt a nap.

izzad

Melegem van.

Szép idő van.	It's fine.
Süt a nap.	The sun is shining.
izzad	to sweat
Melegem van.	I'm hot.

szél

Fúj a szél.

szél	wind
Fúj a szél.	It's windy.
köd	fog
Köd van.	It's foggy.

köd

Köd van.

Hideg van.

hó

át van fagyva

fagy

hóember

jégcsap

Esik a hó.

olvad

Hideg van.	It's cold.
át van fagyva	to be frozen
fagy	frost
jégcsap	icicle
hó	snow
hóember	snowman
Esik a hó.	It's snowing.
olvad	to thaw

World and universe

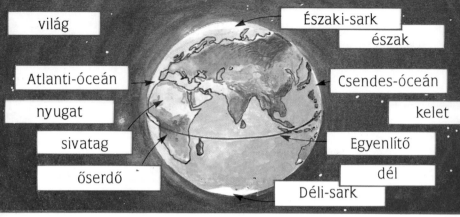

világ

Északi-sark

észak

Atlanti-óceán

Csendes-óceán

nyugat

kelet

sivatag

Egyenlítő

őserdő

dél

Déli-sark

világ	world	**észak**	north
Atlanti-óceán	Atlantic Ocean	**Csendes-óceán**	Pacific Ocean
nyugat	west	**kelet**	east
sivatag	desert	**Egyenlítő**	equator
őserdő	jungle	**dél**	south
Északi-sark	North Pole	**Déli-sark**	South Pole

földrész

ország

Oroszország

Japán

Kanada

Kína

Amerikai Egyesült Államok

Európa

India

Afrika

Új-Zéland

Ausztrália

Dél-Amerika

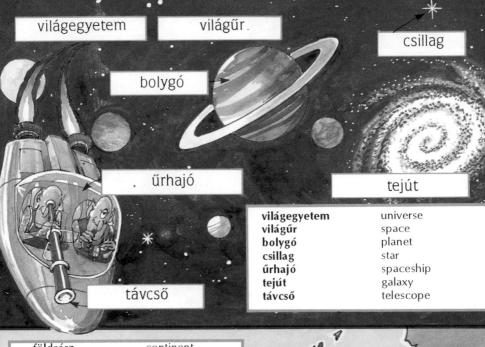

világegyetem		világűr.			csillag

bolygó

űrhajó			tejút

világegyetem	universe
világűr	space
bolygó	planet
csillag	star
űrhajó	spaceship
tejút	galaxy
távcső	telescope

távcső

földrész	continent
ország	country
Oroszország	Russia
Európa	Europe
Afrika	Africa
Japán	Japan
Kína	China
India	India
Ausztrália	Australia
Új-Zéland	New Zealand
Kanada	Canada
Amerikai Egyesült Államok	United States
Dél-Amerika	South America

Skandinávia	Scandinavia
Nagy-Britannia	Great Britain
Hollandia	Netherlands
Belgium	Belgium
Németország	Germany
Franciaország	France
Svájc	Switzerland
Olaszország	Italy
Spanyolország	Spain

Skandinávia

Nagy-Britannia

Hollandia

Belgium		Németország

Franciaország

Svájc

Olaszország

Spanyolország

Politics

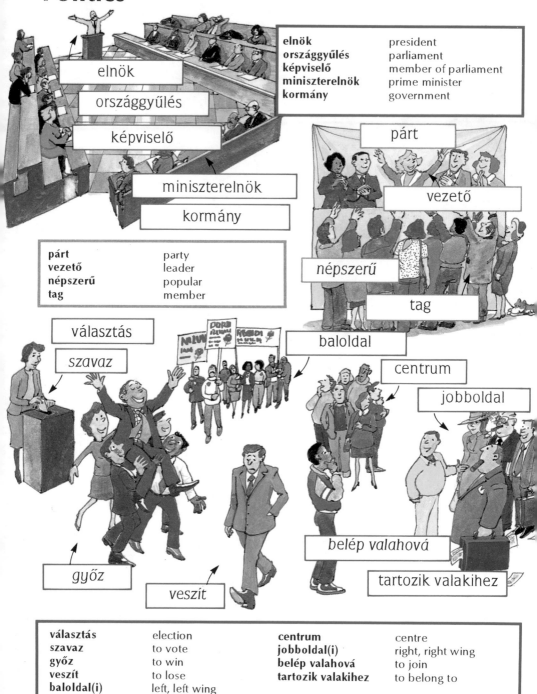

elnök

országgyűlés

képviselő

elnök	president
országgyűlés	parliament
képviselő	member of parliament
miniszterelnök	prime minister
kormány	government

miniszterelnök

kormány

párt

vezető

párt	party
vezető	leader
népszerű	popular
tag	member

népszerű

tag

választás

szavaz

baloldal

centrum

jobboldal

belép valahová

győz

veszít

tartozik valakihez

választás	election	**centrum**	centre
szavaz	to vote	**jobboldal(i)**	right, right wing
győz	to win	**belép valahová**	to join
veszít	to lose	**tartozik valakihez**	to belong to
baloldal(i)	left, left wing		

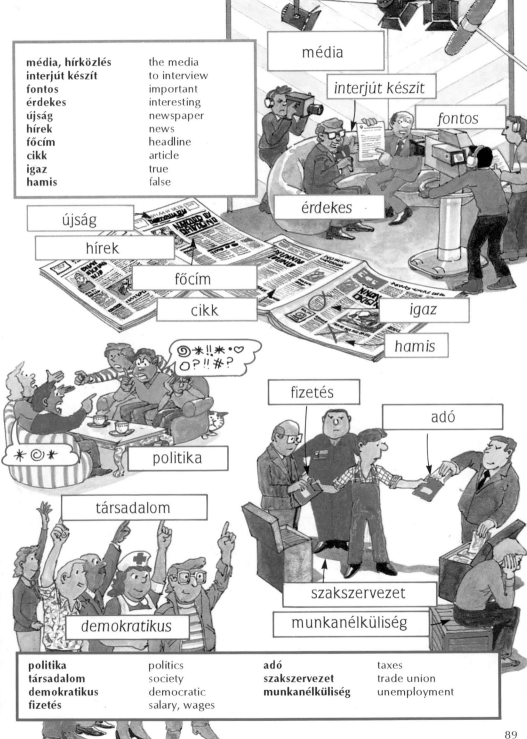

média, hírközlés	the media
interjút készít	to interview
fontos	important
érdekes	interesting
újság	newspaper
hírek	news
főcím	headline
cikk	article
igaz	true
hamis	false

média

interjút készít

fontos

érdekes

újság

hírek

főcím

cikk

igaz

hamis

politika

társadalom

demokratikus

fizetés

adó

szakszervezet

munkanélküliség

politika	politics	adó	taxes
társadalom	society	szakszervezet	trade union
demokratikus	democratic	munkanélküliség	unemployment
fizetés	salary, wages		

89

Describing things

hangos

nyugodt

szófogadó

szemtelen

egyforma

hangos	noisy
nyugodt	quiet, calm
szófogadó	obedient
szemtelen	naughty, cheeky
egyforma	same
különböző	different

különböző

együtt

egyedül

elfoglalt

hasznos

ijedt

elfoglalt	busy
hasznos	useful
együtt	together
egyedül	alone
ijedt	frightened
bátor	brave, courageous

bátor

gondatlan

mérges

élénk

gondos

elégedett

unalmas

gondatlan	careless
gondos	careful, precise
mérges	cross
elégedett vkivel, vmivel	pleased with
élénk	lively
unalmas	boring

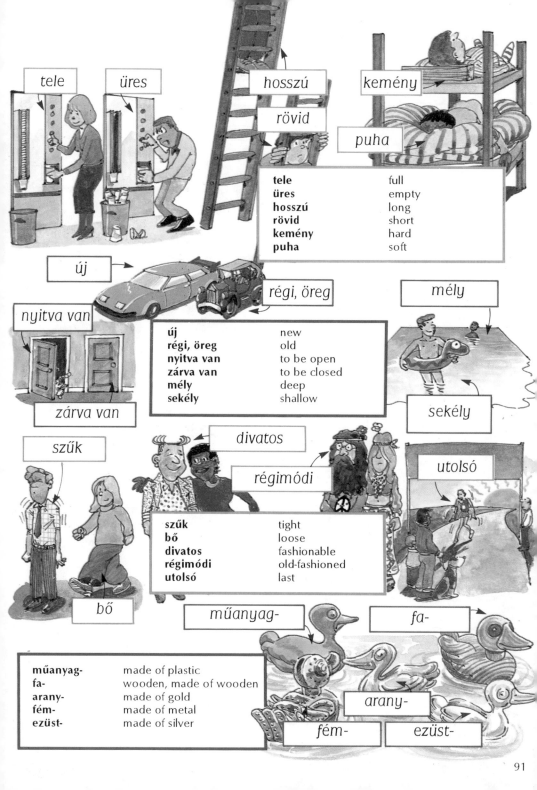

tele

üres

hosszú

kemény

rövid

puha

tele	full
üres	empty
hosszú	long
rövid	short
kemény	hard
puha	soft

új

régi, öreg

mély

nyitva van

új	new
régi, öreg	old
nyitva van	to be open
zárva van	to be closed
mély	deep
sekély	shallow

zárva van

sekély

szűk

divatos

régimódi

utolsó

szűk	tight
bő	loose
divatos	fashionable
régimódi	old-fashioned
utolsó	last

bő

műanyag-

fa-

műanyag-	made of plastic
fa-	wooden, made of wooden
arany-	made of gold
fém-	made of metal
ezüst-	made of silver

arany-

fém-

ezüst-

Colours

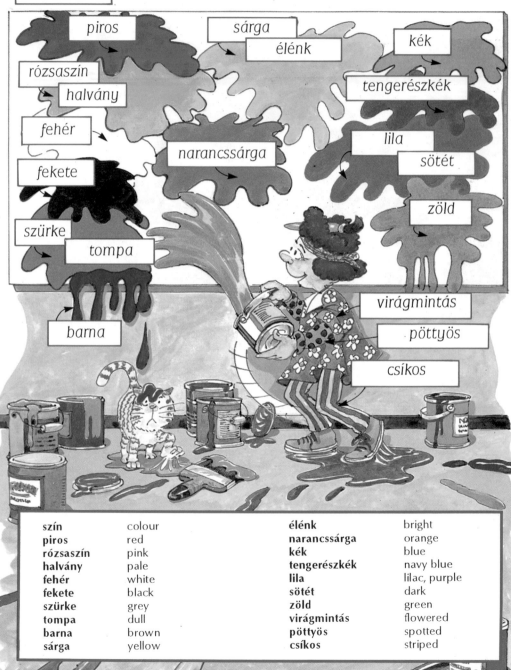

színek

piros

sárga
élénk

kék

rózsaszín
halvány

tengerészkék

fehér

lila
sötét

narancssárga

fekete

zöld

szürke
tompa

virágmintás

pöttyös

barna

csíkos

szín	colour	élénk	bright
piros	red	**narancssárga**	orange
rózsaszín	pink	**kék**	blue
halvány	pale	**tengerészkék**	navy blue
fehér	white	**lila**	lilac, purple
fekete	black	**sötét**	dark
szürke	grey	**zöld**	green
tompa	dull	**virágmintás**	flowered
barna	brown	**pöttyös**	spotted
sárga	yellow	**csíkos**	striped

In, on, under...

-ban, -ben
-on, -en
alatt
-ba, -be
fölött
-ból, -ből
mellett
mellett
előtt
mögött
között
messze vmitől
keresztül, -át
felé, -hoz, hez
neki-
között
elől (elfut)
le-
-val, -vel
fel-
szemben
nélkül

-ban/-ben, -ba/-be	in	mögött, mögé	behind
-on/-en/-ön, -ra/-re	on	neki- vminek	against
alatt, alá	under	át, keresztül	through
fölött, fölé	over	felé, -hoz/-hez/-höz	to, towards
-ba/-be	into	elől (elfut vmi elől)	away from
-ból/-ből	out of		(to run away from)
mellett, mellé	beside	fel-	up
között, közé	between	le-	down
mellett, mellé	near	szemben, szembe	opposite
messze vmitől	far away from	-val/-vel	with
előtt, elé	in front of	nélkül	without

Action words

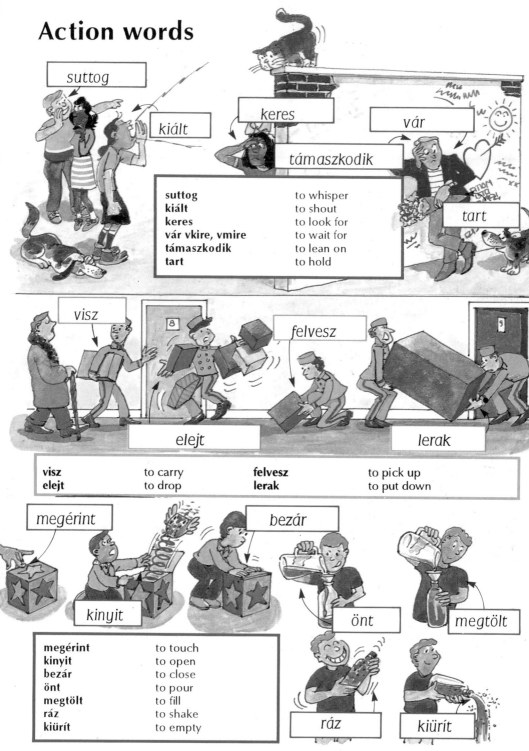

suttog

kiált

keres

vár

támaszkodik

tart

suttog	to whisper
kiált	to shout
keres	to look for
vár vkire, vmire	to wait for
támaszkodik	to lean on
tart	to hold

visz

felvesz

elejt

lerak

visz	to carry	**felvesz**	to pick up
elejt	to drop	**lerak**	to put down

megérint

bezár

kinyit

önt

megtölt

ráz

kiürít

megérint	to touch
kinyit	to open
bezár	to close
önt	to pour
megtölt	to fill
ráz	to shake
kiürít	to empty

elszakít

dob

elkap

elszakít	to tear
megfoltoz	to mend
dob	to throw
elkap	to catch
felborít	to knock over
eltör	to break

megfoltoz

felborít

eltör

lop

elcsúszik

húz

tol

elfut

követ

elbújik

húz	to pull	elfut	to run away
tol	to push	követ	to follow
lop	to steal	elbújik	to hide
elcsúszik	to slip		

Grammar hints

KEY TO PRONUNCIATION

Hungarian words are pronounced as they are written, so once you have learnt how to pronounce the letters you will be able to read almost anything. When you pronounce a letter it is called a 'sound'. Sounds are divided into two groups: vowels and consonants. The following lists will help you produce Hungarian sounds.

Vowels

Hungarian letter	How to pronounce it	Example
a	short; similar to o in 'not', but drop your chin	hat
á	long; like aa in 'baa' (sheep's bleat)	hát
e	short; like e in 'pen'	fel
é	long; like a in 'day', without the 'i' in end	fél
i	short; similar to i in 'lily', but put your tongue forward	mi
í	long; like ee in 'see'	víz
o	short; similar to o in 'November' but round your lips	hol
ó	long; like aw in 'jaw'	hó
ö	short; similar to er in 'her' but round your lips strongly	öt
ő	long; variant of ö, but make it longer	őt
u	short; like oo in 'foot'	fut
ú	long; like oe in 'shoe'	út
ü	short; no similar sound in English. Say 'i' like in 'fill' with pursed lips and put your tongue forward	fül
ű	long; variant of ü, but longer	fű

Consonants

There are some funny two-letter consonants in Hungarian (and a three-letter one), but these letters stand for one sound.

b	like b in 'bee'
c	like ts in 'puts' but one sound
cs	like ch in 'teacher'
d	like d in 'deep'
dz	like ds in 'heads' but one sound
dzs	like j in 'jazz'
f	like f in 'foot'
g	like g in 'get'
gy	similar to d in 'duke'
h	like h in 'hat'
j	like y in 'yes'
k	like k in 'book'
l	like l in 'love'; never like l in 'milk'
ly	like y in 'yes' (pronounced the same way as j)
m	like m in 'mother'
n	like n in 'not'
ny	similar to n in 'new' or gn in 'cognac'
p	like p in 'cheap'
q	like q in 'quit' (only in foreign words)
r	like Scottish r in 'Robert'
s	like sh in 'ship'
sz	like s in 'sea'
t	like t in 'fat'
ty	similar to t in 'tune'
v	like v in 'vinegar'
w	like v (only in foreign words)
x	like x in six (only in foreign words)
y	in ly, gy, ny, ty: not a separate sound. As a vowel it is pronounced like Hungarian i.
z	like z in 'zoo'
zs	like s in 'pleasure'.

Every consonant can be short or long. Length is marked by doubling in writing but in two-letter consonants only the first letter is repeated, e.g. kettő, hosszú. Long consonants should be pronounced about twice as long as short ones.

Be careful! The stress of each Hungarian word is on the first syllable. Unstressed sounds are pronounced as clearly as stressed ones.

ENDINGS AND VOWEL HARMONY

Hungarian is not similar to English. It belongs to another (the Finno-Ugric) group of languages. Probably the most striking difference is, that Hungarian uses a great variety of endings. Sometimes several endings are attached to a single word, e.g. **ház/am/ban** in my house. Most endings have two forms, e.g. **-ban/-ben**.

When choosing the proper ending think about the vowels of the word. If the word contains any of **a, á, o, ó, u, ú** (called back vowels) choose the back vowel ending, e.g. **ház – házban** or **kávé – kávéval**. Words not containing back vowels are front vowel words, so choose the front vowel ending, e.g. **tej – tejben**. This is called the rule of vowel harmony.

Another important rule: **a** and **e** always change to **á** and **é** before an ending, e.g. **cica – cicák, este – esték**.

NOUNS

A noun is the name of a person, a thing or some abstract idea, e.g. **lány** girl, **könyv** book, **szeretet** love. Nouns in Hungarian may take different endings.

The plural ending -k

When you are talking about more than one thing or person you use the plural form of the noun. In Hungarian the plural is formed by adding a **-k** to the noun if it ends in a vowel, e.g. **fiú – fiúk** boy – boys.

If the word ends in a consonant, there is a linking vowel **o** or **e** before the **-k,** e.g. **virág – virágok, szék – székek**. When choosing the linking vowel, apply vowel harmony. Certain words take **a** or **ö** linking vowels, e.g. **ház – házak, kör – körök**. Other words change their stems, e.g. **ló – lovak, tó – tavak**. You will find these endings after the words in the word list.

Be careful! Do not use the plural after numbers: **három disznó** three pigs, and after the following words: **sok** a lot of, **néhány** some, **kevés** few, **összes** all, e.g. **sok ló** a lot of horses.

The object ending -t

The object of a Hungarian sentence is marked by a **-t,** e.g. **Szeretek egy fiút.** I love a boy. The rules are nearly the same as for the **-k** ending: **könyv – könyvet** (front vowel), **virág – virágot** (back vowel). Sometimes there is no linking vowel at all, e.g. **lányt.** The object ending is given in the word list.

Endings in 'place expressions'

In English you use a lot of prepositions, e.g. in, on, to.
There are no prepositions in Hungarian, instead you can use postpositions (see page 98) or attach different endings to the noun.

The most frequently used endings are:

Hol?	Where?	Hová?	Where to?	Honnan?	Where from?
-ban -ben	in	-ba -be	to, into	-ból -ből	from, out of
-n -on -ön -en	on	-ra -re	on to	-ról -ről	from
-nál -nél	at, by	-hoz -hez -höz	to	-tól -től	from

The -val/-vel ending

It is the equivalent of 'with' and sometimes 'by' in English, e.g.
a fiúval with the boy;
tejjel with milk;
autóval by car.
After a consonant the letter **v** of the **-val/-vel** ending changes and becomes the same as the last consonant of the word, e.g. **busz – busszal, ház – házzal.**

The -nak/-nek ending

It is the dative ending, usually unmarked or expressed by 'to' or 'for' in English, e.g. **Adtam Katinak egy békát.** I gave Kati a frog; **Vettem a nővéremnek egy egeret.** I bought my sister a mouse. Or: I bought a mouse for my sister.

Possessive endings

When you want to say 'my car', 'your car' etc, in Hungarian you will simply use the noun **autó** with the possessive endings. For emphasis you may add the personal pronoun. **Ez az <u>én</u> autóm** – This is <u>my</u> car.

-(o/a/e/ö)m	autóm	my car
-(o/a/e/ö)d	autód	your car
-(j)a, -(j)e,	autója	his/her car
-(u/ü)nk	autónk	our car
-tok/-tek/-tök	autótok	your car
-(j)uk, -(j)ük,	autójuk	their car

The possessive forms can be followed by other endings, e.g. **asztal/om/on** on my table.
The plural possessive is formed with the **-i** ending, which is followed by the possessive endings (except for the third person singular form), e.g.
autóim my cars; **autóid** your cars; **autói** his/her cars; **autóink** our cars; **autóitok** your cars; **autóik** their cars.

The possessive forms are used to express 'have got':

van székem	I have got a chair
van széked	you have got a chair
van széke	he/she has got a chair
van székünk	we have got a chair
van széketek	you have got a chair
van székük	they have got a chair

You will use the possessive endings in possessive expressions, e.g.
a nő autója the woman's car
a hegy lába the foot of the hill.
The noun takes the same ending as after his/her: **-a, -e, -ja, -je, -i.**
Be careful! In Hungarian the possessor comes first even if it is a thing.

POSTPOSITIONS

Some English prepositions are expressed by postpositions in Hungarian. Postpositions always come after the noun.

Postposition used in 'place expressions':

előtt	in front of	**mögött**	behind
fölött	above, over	**alatt**	under
között	between, among	**után**	after
felé	towards	**körül**	around
mellett	beside, next to		

Postpositions used in 'time expressions':

előtt	before	**óta**	since
után	after	**múlva**	in... time
közben	during	**körül**	(at) about
alatt	in, during	**felé**	(at) about
között	between		

Other postpositions:

miatt	because of	**helyett**	instead of
nélkül	without	**ellen**	against
szerint	according to		

ARTICLES: A, AZ, EGY

'A/an' – the indefinite article – is **egy** in Hungarian. It is not used as often as in English, e.g. **Ez ház** – This is a house.
'The' – the definite article – is **a/az** in Hungarian. Use **a** before words beginning with a consonant: **a kutya**. Use **az** before words beginning with a vowel: **az egér**. A/az is used more frequently than 'the' in English, e.g. **Bori a Macska utcában lakik** Bori lives in Cat Street; **A kutyám öreg** My dog is old; **Ez a könyv unalmas** This book is boring.

THIS, THAT, THESE, THOSE

Ez az elefánt kék. This elephant is blue.
Az a vakond kövér. That mole is fat.

In these sentences **ez (az)** and **az (a)** are the equivalents of 'this' and 'that'. **Ez** and **az** may take different endings. Before the ending the **z** usually changes: it becomes the same as the first consonant of the ending, e.g.
ez+ben=ebben az+ban=abban
ez+re=erre az+ra=arra
ez+hez=ehhez az+hoz=ahhoz.
Ez and **az** take the same endings as the noun they precede, e.g. **ezt a pókot** this spider, **azon a széken** on that chair. Remember to use the definite article **a/az** after **ez** and **az**.
The plural forms are **ezek** these and **azok** those. All other endings follow the plural ending **-k**, e.g. **azokban**.

Ez and **az** also mean 'this is' and 'that is', e.g. **Ez elefánt**. This is an elephant. **Az vakond**. That is a mole.

PERSONAL PRONOUNS

The personal pronouns are

én – I	**mi** – we
te – you	**ti** – you
ön, maga (formal you)	**önök, maguk** – you
ő – he/she/it	**ők** – they.

You say **te** to a friend or your parents, and **maga** or **ön** to an adult who does not belong to the family. In Hungarian you usually use the verb without the personal pronoun.
The personal pronouns have different forms, e.g.

	object	-nak/-nek	-ról/-ről	-val/-vel
én	**engem**	**nekem**	**rólam**	**velem**
te	**téged**	**neked**	**rólad**	**veled**
ő	**őt**	**neki**	**róla**	**vele**

mi	minket	nekünk	rólunk	velünk
ti	titeket	nektek	rólatok	veletek
ők	őket	nekik	róluk	velük.

POSSESSIVE PRONOUNS

These pronouns are used when the thing possessed has already been mentioned or is clear from the context., e.g. **Kié ez a ház?** Whose is this house? **Az enyém.** It's mine.

enyém	mine	miénk	ours
tiéd	yours	tiétek	yours
magáé /öné	yours	maguké /önöké	yours
övé	his/hers	övék	theirs

The **-é** ending can also be attached to nouns, e.g. **Kié ez a ház? Lauráé.** It's Laura's.

ADJECTIVES

Adjectives describe the characteristics (colour, size etc.) of nouns. Just as in English they are usually used together with nouns and take no endings, e.g. **jó gyerek - jó gyerekek** good child - good children.
However, after plural nouns Hungarian adjectives take the plural ending **-k**, e.g. **A gyerekek jók.** The children are good. Adjectives ending in **-ú,-ű,-i** take a linking vowel (**a** or **e**) before it, e.g. **szomorúak**, **jóképűek.**
They take all sorts of endings when there is no noun in the sentence. English uses 'one'/'ones' in such sentences, e.g. **a feketében** in the black one; **a jókkal** with the good ones.

Comparison

When you compare people or things you may use different kinds of sentences.
1. Mary is (not) as tall as you.
   Mari (nem) olyan magas, mint te.
2. The comparative
   She is taller than her friend.
   Magasabb, mint a barátja. or:
   Magasabb a barátjánál.
   The comparative ending is the **-bb**, and there is a linking vowel before the **-bb** if the adjective ends in a consonant, e.g. **erős - erősebb, fiatal - fiatalabb.**
3. The superlative
   Mary is the tallest. **Mari a legmagasabb.** To get the superlative form attach **leg-** to the comparative. Just as in English, the superlative is preceded by the definite article **a/az.**

Irregular forms:
jó, jobb, legjobb;
sok, több, legtöbb;
szép, szebb, legszebb;
kevés, kevesebb, legkevesebb;
kicsi, kisebb, legkisebb;
könnyű, könnyebb, legkönnyebb;
nehéz, nehezebb, legnehezebb;
hosszú, hosszabb, leghosszabb;
bő, bővebb, legbővebb.
Be careful! Names of nationalities are spelt with a small letter, e.g. **magyar** Hungarian, **angol** English.

GYORSAN – QUICKLY

When you add the **-n** ending to the adjective it becomes an adverb. Adverbs answer the question: How?

Hogy? Hogyan?. The Hungarian **-n** ending is very similar to the English '-ly' ending, e.g. **gyors** quick, **gyorsan** quickly.

Adjectives ending in a consonant or **-ú**, **-ű**, **-i** take a linking vowel (**a** or **e**) before the **-n** ending, e.g. **szomorúan** sadly.

There are exceptions to the rules: **jó** good; **jól** well; **rossz** bad; **rosszul** badly; **hosszú** long; **hosszan** for a long time.

Adverbs are used in comparisons very similarly to adjectives. The **-an/-en** ending is added to the comparative or superlative form of the adjective, e.g. **gyorsabban** – more quickly; **leggyorsabban** – most quickly.

VERBS

Verbs are words that express an action or state. Hungarian verbs take different endings. Endings are added to the stem, usually the third person singular (he/she) form and have different meanings, e.g.:

– There are endings to identify who you are talking about (personal endings).

– The ending **-t/-tt** – similarly to English '-ed' – means that the action took place in the past (past tense).

– The ending **-j** expresses an order or request (imperative).

– The ending **-na/-ne** stands for 'would' (conditional).

– The ending **-hat/-het** means permission or possibility like 'may' or 'can'.

The forms of the verb that express the time of the action are called 'tenses'. In Hungarian there are only three tenses: present, past and future.

In all the three tenses there are two sets of endings, called 'indefinite conjugation' and 'definite conjugation'.

The Present

The indefinite conjugation

It is used when there is no object after the verb or the object is indefinite, e.g. **Adok neked egy könyvet.** I give you a book, or **Adok neked könyveket.** I give you (some) books.

Here are the personal endings for the indefinite conjugation. In Hungarian there is no difference between 'I give' and 'I'm giving'.

Indefinite conjugation

	personal endings	example with back vowel	
(én)	-ok/-ek/-ök	adok	I give
(te)	-sz/-ol/-el/-öl	adsz	you give
(ő)	–	ad	he gives
(mi)	-unk/-ünk	adunk	we give
(ti)	-tok/-tek/-tök	adtok	you give
(ők)	-nak/-nek	adnak	they give

	examples with front vowels		'-ik' verbs*
(én)	nézek	köszönök	lakom
(te)	nézel	köszönsz	laksz
(ő)	néz	köszön	lakik
(mi)	nézünk	köszönünk	lakunk
(ti)	néztek	köszöntök	laktok
(ők)	néznek	köszönnek	laknak

* There is a number of common verbs ending in -ik in the 3rd person singular. -ik is not part of the stem and is dropped in all other forms.

The personal pronouns are usually omitted, because the ending makes it clear who you are talking about.

Ön and **maga** are always used with the 3rd person singular form, e.g. **maga ad**. **Önök** and **maguk** are used with the 3rd person plural form, e.g. **maguk adnak**.

Lenni (to be) in the present tense

vagyok	I am	**vagyunk**	we are
vagy	you are	**vagytok**	you are
van	he/she is	**vannak**	they are

In sentences 3rd person forms **van** and **vannak** are often omitted, e.g.
Kati orvos. Kate is a doctor.
A lányok szépek. Girls are beautiful.
Don't omit **van** in sentences answering the questions when? where? and how? e.g. **A macska az asztalon van.** The cat is on the table. (Where?)
A születésnapja novemberben van. His birthday is in November. (When?)
Jól van. She is fine. (How?)

The definite conjugation

There is another set of endings in the present tense. You use it when the verb is followed by a definite object, e.g. **Neked adom ezt a könyvet.** I give you this book. Other clues to the definite conjugation are: the, that, these, those, my, your ... book(s).

Definite conjugation

personal endings	examples with back vowel		front vowels
om/-em/-öm	adom	nézem	köszönöm
-od/-ed/-öd	adod	nézed	köszönöd
-ja/-i	adja	nézi	köszöni
-juk/-jük	adjuk	nézzük	köszönjük
-játok/-itek	adjátok	nézitek	köszönitek
-ják/-ik	adják	nézik	köszönik

The Past

The ending of the past tense is -t or -tt. It comes after the stem and is followed by the personal endings of the past tense.

	Indefinite conjugation		Definite conjugation	
(én)	adtam	néztem	adtam	néztem
(te)	adtál	néztél	adtad	nézted
(ő)	adott	nézett	adta	nézte
(mi)	adtunk	néztünk	adtuk	néztük
(ti)	adtatok	néztetek	adtátok	néztétek
(ők)	adtak	néztek	adták	nézték

Lenni (to be) in the past

voltam	I was	**voltunk**	we were
voltál	you were	**voltatok**	you were
volt	he/she was	**voltak**	they were

Volt unlike **van** is never omitted, e.g.
Kati orvos volt. Kate was a doctor.

The Future

If you want to speak about future events you can use the present forms with time expressions, e.g. **Holnap indulok.** I'm leaving tomorrow. The 'real' future forms are longer, e.g. **(Holnap) fogok indulni.** I will leave (tomorrow). The future tense consists of two parts: the present form of the word **fog** and the 'to' form of the verb – called infinitive –, which is formed with the **-ni** ending, e.g. **ad – adni**, **úszik – úszni** (**-ik** is dropped).

Indefinite conj.	Definite conj.	
fogok adni	fogom adni	I will give
fogsz adni	fogod adni	you will give
fog adni	fogja adni	he/she will give
fogunk adni	fogjuk adni	we will give
fogtok adni	fogjátok adni	you will give
fognak adni	fogják adni	they will give

Lenni (to be) in the future

leszek	I'll be	**leszünk**	we'll be
leszel	you'll be	**lesztek**	you'll be
lesz	he'll be	**lesznek**	they'll be

The imperative

Állj fel! Ne ülj le! Stand up! Don't sit down! – are imperative forms. In English they always refer to 'you'. In Hungarian there are imperative forms for all persons. They are used in requests, orders and other situations. The imperative ending is the **-j**. It is attached to the verb stem and followed by the personal endings of the imperative.

Indefinite conjugation

endings	examples with		
	back vowel		front vowels
-j-ak/-ek	adjak	nézzek	köszönjek
-j(ál/él)	adj(ál)	nézz(él)	köszönj(él)
-jon/jen/jön	adjon	nézzen	köszönjön
-junk/jünk	adjunk	nézzünk	köszönjünk
-jatok/jetek	adjatok	nézzetek	köszönjetek
-janak/jenek	adjanak	nézzenek	köszönjenek

Definite conjugation

endings	examples with		
	back vowel		front vowels
-j-am/-em	adjam	kérjem	köszönjem
(-ja/-je)-d	ad(ja)d	kér(je)d	köszön(je)d
-j-a/-e	adja	kérje	köszönje
-j-uk/-ük	adjuk	kérjük	köszönjük
-j-átok/-étek	adjátok	kérjétek	köszönjétek
-j-ák/-ék	adják	kérjék	köszönjék

The **-j** ending causes several changes in pronunciation, e.g. **adj** is pronounced **'aggy'** and **köszönj** is pronounced **'köszönny'**. The **-j** changes in spelling if the stem ends in **-s, -sz, -z -t,** e.g. **olvas+j=olvass; néz+j=nézz.**

The imperative forms are given in the word list.

The conditional

Adnék valamit, ha megtalálnád a szemüvegemet. I'd give you something if you found my glasses.
This is a conditional sentence. Hungarian uses the conditional form of the verb in both halves of the sentence.

Indefinite conjugation

(én)	**-n-ék**	adnék	kérnék
(te)	**-n-ál/-él**	adnál	kérnél
(ő)	**-n-a/-e**	adna	kérne
(mi)	**-n-ánk/-énk**	adnánk	kérnénk
(ti)	**-n-átok/-étek**	adnátok	kérnétek
(ők)	**-n-ának/-ének**	adnának	kérnének

Definite conjugation

(én)	**-n-ám/-ém**	adnám	kérném
(te)	**-n-ád/-éd**	adnád	kérnéd
(ő)	**-n-á/-é**	adná	kérné
(mi)	**-n-ánk/-énk**	adnánk	kérnénk
(ti)	**-n-átok/-étek**	adnátok	kérnétek
(ők)	**-n-ák/-ék**	adnák	kérnék

If you want to say 'I would've given you something if you'd found my glasses' use the past tense of the verb and add the word **volna**, e.g. **Adtam volna valamit, ha megtaláltad volna a szemüvegemet.**

VERBAL PARTICLES

You may be surprised that a lot of verbs start with **be-, ki-, le-, fel-, meg-,** el-, át-, rá-, ide-, oda-, szét-, össze-, vissza-. These little words – called verbal particles – do not belong to the verbs. You can add them to the verb and they will slightly or completely change its meaning. Most of them express the direction of the action but meg- and sometimes el- mean that the action is complete or will be completed soon, e.g. **Megettem.** I've eaten it. **Megeszem.** I'm going to eat it.

Here are some examples of directions:

bemegy	go in(to)	**kimegy**	go out (of)
lemegy	go down	**felmegy**	go up
elmegy	go away	**átmegy**	go across
idemegy	go here	**odamegy**	go there
rámegy	go on	**visszamegy**	go back

QUESTIONS

In Hungarian you can make a question by starting the sentence with a question word:

Ki szereti a sört?	Who likes beer?
Mi újság?	What's the news?
Hol laksz?	Where do you live?
Hova mész?	Where're you going?
Mikor láttad?	When did you see it?
Melyik ló az övé?	Which horse is his?
Milyen a cicád?	What's your cat like?
Hogy vagy?	How are you?
Miért sírsz?	Why are you crying?
Mennyi lesz?	How much is it?
Hány autód van?	How many cars have you got?

Ki and **mi** take the same endings as nouns, e.g. **Kivel?** Who... with?; **Kié?** Whose?; **Kihez?** Who... to?

When there is no question word (in yes–no questions) try to say the sentence with an intonation like this:

Sze-re-ted a bé-ká-kat? Or like this:

Te lány vagy?

Intonation (and body language) are important because questions in Hungarian are not marked by word order, e.g. **Kövér vagyok.** I'm fat. **Kövér vagyok?** Am I fat?

Something, nothing

If you attach **vala-** to a question word you get a pronoun with an indefinite meaning, e.g. **valaki** somebody; **valami** something; **valahol** somewhere **Valaki** and **valami** take the same endings as nouns. (These pronouns are used in dictionaries to indicate the required endings, e.g. **vigyáz vkire** to keep an eye on sy.)
If you attach **se-/sem-** to a question word you get a pronoun with a negative meaning, e.g. **semmi** nothing; **sehol** nowhere.

NEGATIVE

You can make a negative sentence by inserting the word **nem** (no, not) before the word you want to negate, e.g. **Nem iszom tejet.** I don't drink milk. **Nem tejet iszom, hanem vizet.** I don't drink milk but water.
After **soha** (never) and the words starting with se- (**senki, semmi**, etc.) use a negative sentence with **nem** or **sem**, e.g. **Senki sem látott.** Nobody saw me.

The negative form of **van** is **nincs**, e.g.
Nincs kutyám. I haven't got a dog.

WORD ORDER

Word order in Hungarian is rather changeable. The order of words in a sentence depends on what you want to stress.
If you do not want to stress anything in particular, the verb is usually at or near the end of the sentence, e.g.
Laura reggelire megevett hat tojást.
Laura ate six eggs for breakfast.
If you want to stress any of the words just put it before the verb. The verbal particle will come after the verb, e.g.
Laura hat tojást evett meg reggelire.
(six, not seven)
Laura evett meg hat tojást reggelire.
(Laura, not Peter)
Laura reggelire evett meg hat tojást.
(for breakfast, not for dinner)
This kind of word order is usually used in questions, answers and negative sentences.
There are some words that stand between the verbal particle and the infinitive, e.g.

meg fogja nézni	she will see it
akarja nézni	wants to see it
kell nézni	has to see it
tudja nézni	can see it
lehet nézni	may see it

In negative sentences the verbal particle is not separated, e.g. **nem fogja megnézni.**

Phrase explainer

Throughout the illustrated section of this book, there are useful short phrases and everyday expressions. You may find these easier to remember if you understand the different words that make them up.

This section lists the most important expressions under the page number where they appeared. After reminding you of the meaning it shows you how they break down and gives some information on where and how to use them.*

page 4
- **Szia!** means both hello and bye. The plural form is **sziasztok**. It is used when speaking to children, friends and relatives. Other informal greetings are **szevasz – szevasztok; szervusz – szervusztok**.
- **Viszontlátásra!** See you again. It is a formal farewell. Several people shorten it to **Viszlát!**
- **(Te) Hogy vagy?** How are you? **Hogy**=How; **vagy?**=are you. This is the informal version. Use this form when you speak to a child.
- **(Maga) Hogy van?** – How are you? **Hogy**=How; **van?**=is she. This is the proper form when you speak to an adult (unless he/she is a member of your family). With **maga** (formal you) always use the third person forms of the verb.
- **Köszönöm, jól.** Very well thank you. **Köszönöm**=thanks; **jól**=well. This is the usual answer to the above question. If you are not really fine you may answer: **Megvagyok.** or **Nem túl jól.** Not too well.

- **kezet fog vkivel** to shake hands with
kezet=hand (with the object ending) **vkivel**=with somebody. **Vkivel** stands for **valakivel** and means that after **kezet fog** the noun takes the **-val/-vel** ending, e.g. **kezet fog a fiúval** – to shake hands with the boy.

page 5
- **Hogy hívnak?** What's your name? **Hogy**=How; **hívnak?**=are you called. When answering this question just say your name. You may add **vagyok** = 'I am' to make a sentence: **X.Y. vagyok.** Hungarian people say their surnames first.
- **Hány éves vagy?** How old are you? **Hány**=how many; **éves**=years old; **vagy?**=are you. The forms of 'to be' can be found in the Grammar hints. When answering this question say a number, e.g. **Tíz**=(ten). The full sentence is **Tíz éves vagyok.** I am ten years old.
- **idősebb, mint** older than
- **fiatalabb, mint** younger than
These are comparative forms. You can read more about them in the Grammar hints (p.100).

page 18
- **Vigyázz, a kutya harap!** Beware of the dog.

Vigyázz=be careful, look out (imperative form, see p.103); **a kutya**=the dog; **harap**=bites.

* Literal meanings of Hungarian words are introduced by the sign =.

page 20
- **Jó reggelt (kívánok)!** Good morning!

Jó=good; **reggel**=morning; **kívánok**=I wish. (It is often omitted.) This is a formal greeting, used up to about 10 a.m. Between 10 a.m. and 6 p.m. say **Jó napot kívánok!** nap=day.
After 6 p.m. say **Jó estét kívánok!** when you want to greet an adult. **este**=evening.

page 26
- **Jó étvágyat (kívánok)!** Enjoy your meal.

This is a polite phrase you say to people who are about to eat.
jó=good; **étvágy**=appetite;
kívánok=I wish. (It is often omitted.)

page 43
- **Mennyit fizetek?** How much is that?
mennyi=how much; **fizetek?**=do I pay.

page 50
- **Parkolni tilos**. No parking.
parkolni=to park; **tilos**=(is) prohibited.

page 68
- **Rosszul érzi magát** to feel ill.
- **Jobban érzi magát** to feel better.
rosszul=badly, unwell; **jobban**=better;
érzi=feels; maga=himself/herself.

page 83
- **Hány óra van?** What time is it?
When answering this question think of the following hour.
- **3/4 10 van.** It's a quarter to 10.
3/4 10=three quarters of 10.
- **1/4 11 van.** It's a quarter past 10.
1/4 11=a quarter of 11.

page 73
- **Sok szerencsét!** Good luck.
sok=a lot of; **szerencse**=luck

page 85
- **Milyen idő van?** What's the weather like?
- **Esik a hó.** It's snowing.
- **Esik az eső.**
esik=is falling; **a hó**=the snow;
az eső=the rain
- **Fúj a szél.** It's windy.
fúj=is blowing; **a szél**=the wind
- **Melegem van.** I'm hot.
meleg=warm; **van**=I've got

English–Hungarian word list

Here you will find the words, phrases and expressions from the illustrated section of the book listed in English alphabetical order.

Hungarian verbs appear in the third person singular (he/she) form. After verbs you can find :
1) The IMPERATIVE ending or form,
2) The INFINITIVE ('to do') ending or form if it is different from the third person singular + **-ni**.
Verbs ending in **-ik** drop the **-ik** before other endings.

After some verbs you will find the ending they require,e.g. **kezet fog vkivel** to shake hands with somebody.
vki=valaki someone,
vmi=valami something

After nouns ending in a consonant the following endings are given:
1) The OBJECT ending
2) The PLURAL ending
3) The POSSESSIVE ending
After nouns ending in a vowel these endings are always 1)**-t** 2)**-k** 3)**-ja/-je**.
Remember that the final **a** and **e** change to **á** and **é** before an ending.

A

to accelerate	**gyorsít (gyorsíts)**
actor	**színész (-t,-ek,-e)**
actress	**színésznő**
to add	**összead (összeadj)**
address	**cím (-et,-ek,-e)**
advertisement	**hirdetés (-t,-ek,-e)**
aeroplane	**repülőgép (-et,-ek,-e)**
Africa	**Afrika**
in the afternoon	**délután (-t,-ok,-ja)**
against	**neki-... -vminek**
age	**kor (-t,-ok,-a)**
I agree, agreed	**Egyetértek.**
air hostess	**légikisasszony(-t,-ok,-a)**
air steward	**légi utaskísérő**
airmail	**légiposta**
airport	**repülőtér (repülöter-et, -ek,-e)**
aisle	**sor (-t,-ok,-a), folyosó**
alarm clock	**ébresztőóra**
alone	**egyedül**
alphabet	**ábécé**
ambulance	**mentőautó**
among	**között**
anchor	**horgony (-t,-ok,-a)**
and	**és, meg**
animal	**állat (-ot,-ok,-a)**
ankle	**boka**
to answer	**válaszol(-j), felel(-j)**
to answer the telephone	**beleszól a telefonba (-j)**
apple	**alma**
apple tree	**almafa**

apricot	**sárgabarack (-ot,-ok,-ja)**
April	**április (-t,-ok,-a)**
architect	**építész (-t,-ek,-e)**
area code (telephone)	**körzetszám (-ot,-ok,-a)**
arm	**kar (-t,-ok,-ja)**
armchair	**fotel (-t,-ek,-e)**
Arrivals	**Érkezés**
art gallery	**képtár (-at,-ak,-a)**
article (in newspapers)	**újságcikk (-et,-ek,-e)**
to ask a question	**kérdez (kérdezz)**
to ask the way	**útbaigazítást kér (kérj)**
to fall asleep	**elalszik (elaludj, elaludni)**
athletics	**atlétika**
Atlantic Ocean	**Atlanti Óceán (-t)**
attic	**padlás (-t,-ok,-a)**
audience	**közönség (-et,-e)**
August	**augusztus (-t, -ok, -a)**
aunt	**nagynéni**
Australia	**Ausztrália**
autumn	**ősz (-t,-ök,-e)**
away from...	**elől**

B

baby	**kisbaba**
back (of body)	**hát (-at,-ak,-a)**
to do back-stroke	**háton úszik**
backwards	**hátra(fele)**
bait	**csalétek (csalétk-et,-ek,-e)**
bakery	**pékség (-et,-ek,-e)**
balcony	**erkély (-t,-ek,-e)**
with balcony	**erkéllyel**
bald	**kopasz**

ball	labda	to feel better	` jobban érzi magát
ballet	balett (-ot,-ok,-ja)	between	között, közé
ballet dancer	balett-táncos (-t,-ok,-a)	Beware of the dog	Vigyázz, a kutya harap!
balloon	lufi	bicycle	kerékpár (-t,-ok,-ja)
banana	banán (-t,-ok,-ja)	big	nagy
bandage	kötés (-t,-ek,-e)	bill	számla
bank (river)	part (-ot,-ok,-ja)	bin	szemétláda
bank	bank (-ot,-ok,-ja)	biology	biológia
bank manager	bankigazgató	bird	madár (madar-at,-ak,-a)
to bank money	pénzt betesz a bankba	birth	születés (-t,-ek,-e)
barefoot	mezítláb	birthday	születésnap (-ot,-ok,-ja)
bargain	alkalmi vétel	birthday card	üdvözlőlap (-ot,-ok,-ja)
to bark	ugat (ugass)	biscuit	teasütemény (-t,-ek,-e)
barn	csűr (-t, -ök,-je)	bitter	keserű
barrier	sorompó	black	fekete
basement	alagsor (-t,-ok,-a)	blackbird	feketerigó
basket	kosár (kosarat, kosarak,	blackboard	tábla
	kosara)	block of flats	emeletes ház (-at,-ak,-a)
bath	fürdőkád (-at,-ak,-ja)	blond	szőke
to have a bath	fürdik (fürödj, fürödni)	blond hair	szőke haj
to run a bath	fürdővizet enged	blouse	blúz (-t,-ok,-a)
bathmat	fürdőszobaszőnyeg	blue	kék
bathrobe	fürdőköpeny (-t,-ek,-e)	to board (a plane)	beszáll (beszállj)
bathroom	fürdőszoba	board game	társasjáték (-ot,-ok,-a)
with bathroom	fürdőszobával	boat	hajó, csónak (-ot,-ok,-ja)
to be	van (legyél, lenni)	to travel by boat	hajóval utazik
to be born	születik (szüless)	body	test (-et,-ek,-e)
to be fond of	szeret (szeress)	bonnet (of car)	motorháztető
to be frozen	át van fagyva	book	könyv (-et,-ek,-e)
to be late	elkésik (elkéss)	picture book	képeskönyv
to be on time	pontos	fully booked	megtelt
to be seasick	tengeribeteg	bookshop	könyvesbolt
to be sick	hányingere van	boot (of car)	csomagtartó
beach	strand (-ot,-ok,-ja)	boots	csizma
at the beach	a strandon	wellington boots	gumicsizma
beak	csőr (-t,-ök,-e)	boring	unalmas
beans	bab (-ot,-ok,-ja)	to be born	születik (szüless)
green beans	zöldbab	boss	főnök (-öt, -ök,-e)
beard	szakáll (-t,-ak,-a)	bottle	üveg (-et,-ek,-e)
to have a beard	szakálla van	bouquet	(virág)csokor (csokrot,
bed	ágy (-at,-ak,-a)		csokrok, csokra)
to go to bed	aludni megy	boutique	butik (-ot,-ok,-ja)
bedroom	hálószoba	bowl	tál (-at,-ak,-a)
bedside table	éjjeliszekrény (-t,-ek,-e)	box-office	jegypénztár (-t,-ak,-a)
bedside lamp	olvasólámpa	boy	fiú (-t,-k, fia)
bedspread	ágytakaró	bra	melltartó
bedtime	a lefekvés ideje	bracelet	karkötő
bee	méh (-et,-ek,-e)	branch	ág (-at,-ak,-a)
beer	sör (-t,-ök,-e)	brave	bátor
beginning	kezdet (-et,-ek,-e)	bread	kenyér (kenyer-et,-ek,-e)
behind	mögött	break (at school)	szünet (-et,-ek,-e)
Belgium	Belgium	to break	tör (törj)
bell	csengő	to break your leg	eltöri a lábát
to belong to	tartozik vkihez (tartozz)	to have a breakdown	lerobban az autója
belt	öv (-et,-ek,-e)	breakfast	reggeli
safety belt, seatbelt	biztonsági öv	to do breast-stroke	mellen úszik
bench	pad (-ot,-ok,-ja)	bride	menyasszony (-t,-ok,-a)
beside	mellett, mellé	bridegroom	vőlegény (-t,-ek,-e)
best	legjobb	bridge	híd (hidat, hidak, hídja)
better	jobb	bright (colour)	élénk

to bring up	nevel, felnevel (nevelj)	car-park	parkoló
broad	széles	caravan	lakókocsi
brooch	melltű	card	kártya
brother	fiútestvér (-t,-ek,-e)	credit card	hitelkártya
brown	barna	postcard	képeslap, levelezőlap
brown hair	barna haj	to play cards	kártyázik (kártyázz)
bruise	zúzódás (-t,-ok,-a)	cardigan	kardigán (-t,-ok,-ja)
brush (for painting)	ecset (-et,-ek,-e)	careful, precise	gondos, precíz
brush (for hair)	(haj)kefe	careless	gondatlan
toothbrush	fogkefe	caretaker	házfelügyelő
to brush your hair	keféli a haját	cargo	rakomány (-t,-ok,-a)
Brussels sprouts	kelbimbó	carpet, rug	szőnyeg (-et,-ek,-e)
bucket	vödör (vödr-öt,-ök,-e)	fitted carpet	padlószőnyeg
budgie	törpepapagáj(-t,-ok,-a)	carriage	(vasúti) kocsi
buffet car	étkezőkocsi	carrier-bag	szatyor (szatyr-ot,-ok,-a)
to build	épít (-s,-eni)	to carry	visz (vigyél, vinni), cipel(-j)
building	épület (-et,-ek,-e)	carrot	sárgarépa
bulb (plant)	virághagyma	cashier	pénztáros (-t,-ok,-a)
bunch of flowers	virágcsokor	cassette	kazetta
burn	égési sérülés (-t,-ek,-e)	cassette recorder	kazettás magnó
to burst out laughing	elneveti magát	casualty departement	baleseti sebészet (-et,-e)
bus	(autó)busz (-t,-ok,-a)	cat	macska, cica
bus-stop	buszmegálló	to catch	elkap (-j), megfog (-j)
to take the bus	autóbuszra száll (-j)	to catch a fish	halat fog
bush	bokor (bokr-ot,-ok,-a)	to catch the train	eléri a vonatot
bustling, busy	forgalmas	cathedral	székesegyház (-at,-ak,-a)
butcher's	hentes	cauliflower	karfiol (-t,-ok,-ja)
butter	vaj (-at,-ak,-a)	to celebrate	ünnepel (-j)
buttercup	boglárka	cellar	pince
butterfly	pillangó	cello	cselló, gordonka
button	gomb (-ot,-ok,-ja)	to play the cello	csellózik (csellózz,
to buy	vesz (vegyél, venni)		csellózni)
	vásárol (-j)	cemetery	temető
by return of post	postafordultával	centimetre	centiméter (-t,-ek,-e)
		centre (in politics)	centrum (-ot,-ok,-a)
C		chair	szék (-et,-ek,-e)
		chairlift	sífelvonó
cabbage	káposzta	chalk	kréta
cabin (of ship)	kajüt (-öt,-ök,-je)	change (money)	aprópénz (-t,-e)
cage	ketrec (-et,-ek,-e)	Have you any small	
cake	torta	change?	
cake shop	cukrászda		Van aprója?
to calculate	számol (-j)	to change money	pénzt vált (válts, váltani)
calculator	számológép (-et,-ek,-e)	channel (TV, radio)	csatorna
calendar	naptár (-t,-ak,-a)	to chase	kerget (kergess)
calf	borjú	to chat	beszélget (beszélgess)
camel	teve	check-in	utasfelvétel (-t)
camera	fényképezőgép (-et,-ek,-e)	cheek	orca
to camp, to go	sátorozik (sátorozz)	cheerful	vidám
camping		cheese	sajt (-ot,-ok,-ja)
campsite	kemping (-et,-ek,-je)	checkout	pénztár (-t,-ak,-a)
Can I help you?	Segíthetek?	chemist (shop)	gyógyszertár (-at,-ak,-a)
Canada	Kanada	chemistry	kémia
candle	gyertya	cheque	csekk (-et,-ek,-e)
canoe	kenu	to write a cheque	kiállít egy csekket
cap	sapka	cheque-book	csekkfüzet (-et,-ek,-e)
capital letter	nagybetű	cherry	cseresznye
to capsize	felborul (-j)	to play chess	sakkozik (sakkozz)
captain	kapitány (-t,-ok,-a)	chest	mell (-et,-e), mellkas (-t,-a)
car	autó	chicken	csirke
		child	gyerek (-et,-ek,-e)

childhood	gyer(m)ekkor (-t,-a)
chimney	kémény(-t,-ek,-e)
chin	áll (-at,-ak,-a)
China	Kína
chocolate	csokoládé, csoki
choir	kórus (-t,-ok,-a)
Christmas	karácsony (-t,-ok,-a)
Christmas Day	karácsony első napja
Christmas carol	karácsonyi dal (-t,-ok,-a)
Happy Christmas!	Boldog karácsonyt!
Christmas Eve	szenteste
Christmas tree	karácsonyfa
chrysanthemum	krizantém (-ot,-ok,-ja)
church	templom (-ot,-ok,-a)
cinema	mozi
to go to the cinema	moziba megy
circle	kör (-t,-ök,-e)
city	1. nagyváros (-t,-ok,-a)
	2. belváros (-t,-a)
to clap	tapsol (-j)
classroom	osztályterem (osztály-term-et,-ek,-e)
claw	karom (karm-ot,-ok,-a)
clean	tiszta
to clean your teeth	fogat mos (moss)
climate	éghajlat (-ot,-a)
to climb	mászik (mássz)
to climb (mountain)	hegyet mászik
to climb a tree	fára mászik
climber	hegymászó
cloakroom	öltöző
clock	óra
to close	bezár (-j), becsuk (-j)
to be closed	zárva van
clothing	ruházat (-ot,-a)
clothes	ruha, ruházat
clothes peg	ruhacsipesz (-t,-ek,-e)
cloud	felhő
coach	távolsági busz (-t,-ok,-a)
coat	kabát (-ot,-ok,-ja)
cock	kakas (-t,-ok,-a)
coffee	kávé
coffee-pot	kávéskanna
coin	pénzérme, fémpénz
cold	hideg
cold water	hideg víz (-et,-e)
to have a cold	náthás, meg van fázva
to collect	gyűjt (gyűjts, gyűjteni)
to collect stamps	bélyeget gyűjt
collection	gyűjtemény (-t,-ek,-e)
collection times (post)	kiürítés ideje
collision	ütközés (-t,-ek,-e)
colour	szín (-t,-ek,-e)
comb	fésű
to comb your hair	fésülködik (fésülködj)
comic (book)	képregény (-t,-ek,-e)
complexion	arcszín (-t,-e)
computer	számítógép (-et,-ek,-e)
computer studies	számítástechnika
conductor (orchestra)	karmester (-t,-ek,-e)

cone	kúp (-ot,-ok,-ja)
to congratulate	gratulál (-j)
continent	földrész (-t,-ek,-e)
to cook	főz (főzz)
corner	sarok (sark-ot,-ok,-a)
to cost	kerül ...-ba/-be (-j)
costume	jelmez (-t,-ek,-e)
cot	gyerekágy (-at,-ak,-a)
cottage	vidéki ház (-at,-ak,-a)
cotton, made of cotton	pamut
counter	pult (-ot,-ok,-ja)
country	ország (-ot,-ok,-a)
countryside	vidék (-et,-ek,-e)
cousin	unokatestvér (-t,-ek,-e) (unokanővér/-fivér)
cow	tehén (tehen-et,-ek,-e)
cowshed	tehénistálló
crab	rák (-ot,-ot,-ja)
to crawl, to do the crawl	gyorsúszik
crayon	színes ceruza
cream	tejszín (-t,-je)
cream cake	habostorta
crew	személyzet (-et,-e)
cross, angry	mérges
to cross the street	átmegy az úttesten
crossing (sea)	átkelés (-t,-ek,-e)
crowd	tömeg (-et,-ek,-e)
to cry	sír (-j)
cup	csésze
cupboard	(konyha)szekrény (t,-ek,-e)
to cure	(meg)gyógyít (-s,-ani)
curly	göndör
curly hair	göndör haj
curtain	függöny (-t,-ök,-e)
customer	vásárló, vevő
customs	vám (-ot,-ok,-ja)
customs officer	vámtiszt (-et,-ek,-je)
cut (wound)	seb (-et,-ek,-e)

D

daffodil	nárcisz(-t,-ok,-a)
to dance	táncol (-j)
dance floor	táncparkett (-et,-ek,-je)
dark	sötét
dark (complexion)	barna
date	dátum (-ot,-ok,-a)
daughter	lánya
dawn	hajnal (-t,-ok,-a)
day	nap (-ot,-ok,-ja)
daytime, in the daytime	nappal
the day after tomorrow	holnapután
the day before yesterday	tegnapelőtt
Dear...,	Kedves ...!
Dear Sir/Madam,	Kedves Uram/Hölgyem!
death	halál (-t,-ok,-a)
December	december (-t,-ek,-e)
deck	fedélzet (-et,-ek,-e)
deep	mély
delicatessen	csemegeüzlet (-et,-ek,-e)

delicious	finom	dull (colour)	tompa
to deliver	kézbesít (-s,-eni)	dungarees	kertésznadrág (-ot,-ok,-ja)
democratic	demokratikus	dustman	szemetes (-t,-ek,-e)
dentist	fogorvos (-t,-ok,-a)	duty-free shop	vámmentes bolt
department (in shop)	osztály (-t,-ok,-a)	duvet	paplan (-t,-ok,-ja)
department store	áruház (-at,-ak,-a)		
Departures	Indulás	**E**	
desert	sivatag (-ot,-ok,-ja)		
designer	formatervező	eagle	sas (-t,-ok,-a)
dessert, pudding	édesség (-et,-ek,-e)	ear	fül (-et,-ek,-e)
to dial	tárcsáz (tárcsázz)	earring	fülbevaló
diary	napló	east	kelet
to die	meghal (-j)	Easter	húsvét (-ot,-ok,-ja)
different	különböző	easy	könnyű
difficult	nehéz	to eat	eszik (egyél, enni)
to dig	ás (áss)	to have eaten well	jóllakott
dining room	ebédlő	egg	tojás (-t,-ok,-a)
dinner	ebéd (-et,-ek,-je), vacsora	eight	nyolc
dirty	piszkos	8 in the morning, 8 a.m.	reggel nyolc
disc-jockey	lemezlovas (-t,-ok,-a)	8 in the evening, 8 p.m.	este nyolc
district	kerület (-et,-ek,-e)	eighteen	tizennyolc
to dive	fejest ugrik (ugorj, ugrani)	eighty	nyolcvan
to divide	oszt (ossz, osztani)	elbow	könyök (-öt,-ök,-e)
divided by (maths)	osztva	elderly	idős
diving board	ugródeszka	election	választás (-t,-ok,-a)
to do	csinál (-j)	electricity	áram (-ot,-a)
to do back-stroke	háton úszik	elephant	elefánt (-ot,-ok,-ja)
to do breast-stroke	mellen úszik	eleven	tizenegy
to do the gardening	kertészkedik	emergency	vészhelyzet (-et,-ek,-e)
to do the shopping	(be)vásárol (-j)	emergency call	segélyhívás (-t,-ok,-a)
docks	dokk (-ot,-ok,-ja)	to employ someone	alkalmaz vkit (-z)
doctor	orvos (-t,-ok,-a)	employee	alkalmazott (-at,-ak,-ja)
dog	kutya	empty	üres
do-it-yourself	barkácsolás (-t,-a)	to empty	(ki)ürít (-s,-eni)
donkey	szamár (szamar-at,-ak,-a)	Encore!	Vissza!
door	ajtó	to get engaged	eljegyzi magát
front door	bejárati ajtó	engine (of car)	motor (-t,-ok,-ja)
doorbell	csengő	engine (train)	mozdony (-t,-ok,-a)
doormat	lábtörlő	English	angol
double room	kétágyas szoba	Enjoy your meal!	Jó étvágyat!
doughnut	fánk (-ot,-ok,-ja)	to enjoy yourself	jól érzi magát
down	le	enormous	hatalmas
downstairs	lent	entrance	bejárat (-ot,-ok,-a)
to go downstairs	lemegy (lemenj, lemenni)	no entry (road sign)	behajtani tilos
dragonfly	szitakötő	envelope	boríték (-ot,-ok,-a)
to play draughts	dámát játszik	equator	Egyenlítő
to dream	álmodik (álmodj)	escalator	mozgólépcső
dress	ruha	Europe	Európa
to get dressed	(fel)öltözik (öltözz, öltözni)	evening, in the evening	este
dressing gown	köntös (-t,-ök,-e)	this evening	ma este
to drink	iszik (igyál, inni)	exam	vizsga
to drive	vezet (vezess)	to fail (an exam)	megbukik a vizsgán
driver	vezető, sofőr (-t,-ök,-je)	to pass an exam	átmegy a vizsgán
to drop	(el)ejt (ejts, ejteni)	to sit an exam	vizsgázik (vizsgázz)
drum	dob (-ot,-ok,-ja)	exchange rate	árfolyam (-ot,-ok,-a)
to play the drums	dobol (-j)	to exercise	edz (eddz, edzeni)
to dry	szárít (-s,-ani)	exercise-book	füzet (-et,-ek,-e)
to dry your hair	hajat szárít (-s,-ani)	exhibition	kiállítás (-t,-ok,-a)
to dry yourself	törülközik (törülközz)	exit	kijárat (-ot,-ok,-a)
duck	kacsa	expensive	drága

eye	szem (-et,-ek,-e)

F

fabric	ruhaanyag (-ot,-ok,-a)
face	arc (-ot,-ok,-a)
factory	gyár (-at,-ak,-a)
to fail (an exam)	megbukik (megbukj, megbukni)
to faint	elájul (-j)
fair (complexion)	fehér, világos (bőr)
to fall asleep	elalszik (elaludj, elaludni)
false	hamis
family	család (-ot,-ok,-ja)
famous	híres
far	messze, távol
far away from	messze vmitől
fare	viteldíj (-at,-ak,-a)
farm	gazdaság (-ot,-ok,-a)
farmer	gazda, gazdálkodó
farmer's wife	gazdasszony (-t,-ok,-a)
farmhouse	parasztház (-at,-ak,-a)
farmyard	udvar (-t,-ok,-a)
fashionable	divatos
fast	gyors
Fasten your seatbelts, please.	Kapcsolják be a biztonsági öveket!
fat	kövér
father	apa
feather	toll (-at,-ak,-a)
February	február (-t,-ok,-ja)
to feed	etet (etess)
to feel better	jobban érzi magát
to feel ill	rosszul érzi magát
ferry	komp (-ot,-ok,-ja)
to fetch	hoz (hozz)
field	mező
fifteen	tizenöt
the fifth (for dates only)	ötödike
to fill	(meg)tölt (tölts, tölteni)
to fill up with petrol	tankol (-j)
to have a filling (in a tooth)	betömik a fogát
film	film (-et,-ek,-je)
It's fine.	Szép idő van.
finger	ujj (-at,-ak,-a)
fire	tűz (tüzet, tüzek, tüze)
fire engine	tűzoltóautó
to fire someone	elbocsát (elbocsáss, elbocsátani)
fire station	tűzoltóság (-ot,-a)
the first (for dates only)	elseje
first class	első osztály
first floor	első emelet
first name	keresztnév
fir tree	fenyőfa
fish	hal (-at,-ak,-a)
to go fishing	horgászik (horgássz)
fishing boat	halászbárka
fishing rod	horgászbot (-ot,-ok,-ja)
fishmonger	halasbolt (-ot,-ok,-ja)
to be fit	edzett
fitted carpet	padlószőnyeg (-et,-ek,-e)
five	öt
five past ten	öt perccel múlt tíz
flag	zászló
flannel	mosdókesztyű
flat	lakás (-t,-ok,-a)
block of flats	emeletes ház
flat tyre	defekt (-et,-ek,-je)
flavour, taste	íz (-t,-ek,-e)
float	mentőmellény (-t,-ek,-e)
flock (of sheep)	nyáj (-at,-ak,-a)
flood	árvíz (árvíz-et,-ek,-e)
floor	emelet (-et,-ek,-e)
first floor	első emelet
ground floor	földszint (-et,-je)
second floor	második emelet
florist	virágbolt (-ot,-ok,-ja)
flour	liszt (-et,-ek,-je)
flower	virág (-ot,-ok,-ja)
bunch of flowers	virágcsokor (-csokrot -csokrok, -csokra)
flowerbed	virágágyás (-t,-ok,-a)
flowered	virágmintás
fly	légy (legy-et,-ek,-e)
to fly	repül (-j)
fog	köd (-öt,-je)
to follow	követ (kövess)
to be fond of	szeret (szeress)
foot	lábfej (-et,-ek,-e)
football (ball)	focilabda
to play football	focizik (focizz)
forget-me-not	nefelejcs (et,-ek,-e)
fork (table)	villa
fork (for gardening)	vasvilla
form (post)	űrlap (-ot,-ok,-ja)
forty	negyven
forwards	előre
foundation cream	alapozókrém (-et,-ek,-je)
four	négy
the fourth (for dates only)	negyedike
fourteen	tizennégy
fox	róka
fraction	törtszám (-ot,-ok,-a)
France	Franciaország (-ot,-a)
freckle	szeplő
fresh	friss
Friday	péntek (-et,-ek,-e)
fridge	hűtőszekrény (-t,-ek,-e)
friend	barát (-ot,-ok,-ja), barátnő
friendly	barátságos
frightened	ijedt
fringe	frufru
frog	béka
frost	fagy (-ot,-ok,-a)
to frown	ráncolja a homlokát
frozen food	mirelitáru
to be frozen	át van fagyva
fruit	gyümölcs (-öt,-ök,-e)
fruit juice	gyümölcslé (-lev-et,-ek,-e)

fruit tart	gyümölcskosár (-kosar-at,-ak,-a)	to go to work	munkába megy
full	tele	goal	gól (-t,-ok,-ja)
full stop	pont	goalkeeper	kapus (-t,-ok,-a)
fully booked	megtelt	goat	kecske
to have fun	jól mulat	gold	arany (-at,-ak,-a)
funeral	temetés	made of gold	arany-
funnel (ship)	kémény (hajóé)	goldfish	aranyhal (-at,-ak,-a)
funny	mókás, mulatságos	golf club	golfütő
fur	bunda	to play golf	golfozik (golfozz)
furniture	bútor (-t,-ok,-a)	good	jó
future	jövő	Good luck!	Sok szerencsét!
in the future	a jövőben, majd	Good morning!	Jó reggelt!
		Goodbye!	Viszontlátásra!
		Goodbye! (telephone)	Viszonthallásra!
		Good night!	Jó éjszakát!

G

		goods train	tehervonat (-ot,-ok,-a)
galaxy	tejút (tejut-at,-útja)	goose	liba
game	játék (-ot,-ok,-ja)	gorilla	gorilla
gangway	hajópalló	government	kormány (-t,-ok,-a)
garage	garázs (-t,-ok,-a)	grammar	nyelvtan (-t,-a)
garden	kert (-et,-ek,-je)	granddaughter	(lány)unoka
garden shed	fészer (-t,-ek,-e)	grandmother	nagymama
gardener	kertész (-t,-ek,-e)	grandfather	nagyapa
to do the gardening	kertészkedik (-j)	grandson	(fiú)unoka
garlic	fokhagyma	grape	szőlő
gas	gáz (-t,-ok,-a)	grass	fű
gate	kapu	Great Britain	Nagy-Britannia
to gather speed	gyorsít (-s,-ani)	green	zöld
generous	nagylelkű	greenhouse	melegház, üvegház
geography	földrajz	grey	szürke
geranium	muskátli	grocery shop	élelmiszerüzlet (-et,ek,-e)
German	német	ground floor	földszint (-et,-je)
Germany	Németország	to growl	morog (-j)
to get dressed	felöltözik (felöltözz)	guard (train)	kalauz (-t,-ok,-a)
to get engaged	eljegyzi magát	guest	vendég (-et,-ek,-e)
to get married	összeházasodik (-j)	guest house	panzió
to get off (bus or train)	leszáll valamiről (-j)	guinea pig	tengerimalac (-ot,-ok,-a)
to get on (bus or train)	felszáll valamire (-j)	guitar	gitár (-t,-ok,-ja)
to get undressed	levetkőzik (levetkőzz)	to play the guitar	gitározik (gitározz)
to get up	felkel (-j)	gymnastics	torna
giraffe	zsiráf (-ot,-ok,-ja)		
girl	lány (-t,-ok,-a)		

H

to give	ad (-j)	haberdasher	rövidáru-üzlet (-et,-ek,-e)
to give a present	ajándékot ad		
glass (drinking)	pohár (pohar-at,-ak,-a)	to hail a taxi	taxit fog
glasses, spectacle	szemüveg (-et,-ek,-e)	hair	haj (-at,-a)
sunglasses	napszemüveg	hairdresser	fodrász (-t,-ok,-a)
to wear glasses	szemüveget visel	hairdrier	hajszárító
gloves	kesztyű	half	fél
to go	megy (menj, menni)	half a kilo	fél kiló
to go to bed	aludni megy	half a litre	fél liter
to go to the cinema	moziba megy	half past ten	fél tizenegy
to go to a discothéque	diszkóba megy	ham	sonka
to go downstairs	lemegy	hammer	kalapács (-ot,-ok,-a)
to go fishing	horgászik	hamster	hörcsög (-öt,-ök,-e)
to go on holiday	nyaralni megy	hand	kéz (kez-et,-ek,-e)
to go mountaineering	hegyet mászik	handbag	kézitáska
to go upstairs	felmegy	hand luggage	kézipoggyász (-t,-a)
to go for a walk	sétálni megy	handsome	jóképű
to go window-shopping	kirakatot nézeget		

to hang on	kapaszkodik (-j)	hook (for fishing)	horog (horg-ot,-ok,-a)
to hang up (telephone)	leteszi a kagylót	honey	méz (-et,-ek,-e)
happy	boldog	honeymoon	nászút (nászut-at,-ak,-ja)
to be happy	örül (-j)	horn	duda
Happy birthday!	Boldog születésnapot!	horse	ló (lov-at,-ak,-a)
Happy New Year!	Boldog új évet!	horse racing	lóverseny (-t,-ek,-e)
hard	kemény	hospital	kórház (-at,-ak,-a)
hardworking	szorgalmas	hot	meleg, forró
to harvest	arat (arass)	hot water	meleg víz
hat	kalap (-ot,-ok,-ja)	I'm hot.	Melegem van.
Have you any	Van aprója?	hotel	szálloda
small change?		to stay in a hotel	szállodában lakik
to have	van vmije	hour	óra
to have a bath	fürdik (fürödj, fürödni)	house	ház (-at,-ak,-a)
to have a breakdown	lerobban az autója	How are you?	Hogy vagy/van?
to have a cold	náthás, meg van fázva	How much...	Mennyi...?
to have (blond) hair	(szőke) haja van.	How much is that?	Mennyit fizetek?
to have a filling	betömik a fogát	How old are you?	Hány éves vagy?
to have a flat tyre	defektes a gumija	hump	púp (-ot,-ok,-ja)
to have fun	jól mulat (mulass)	hundred	száz
to have a headache	fáj a feje	Hungarian	magyar
to have a shower	zuhanyozik (zuhanyozz)	Hungary	Magyarország
to have stomach-ache	fáj a hasa/ fáj a gyomra	to be hungry	éhes
to have a temperature	lázas	to hurry	siet (siess)
to have toothache	fáj a foga	husband	férj (-et,-ek,-e)
hay	széna		
haystack	szénakazal (kazl-at,-ak,-a)	**I**	
head	fej (-et,-ek,-e)		
headband	hajpánt, fejpánt (-ot,-ok,-ja)	I agree.	Egyetértek.
headlight	fényszóró	I am sending... separately.	Külön küldöm a ...-t.
headline	főcím (-et,-ek,-e)	I'll call you back.	Visszahívlak.
headmaster	(iskola)igazgató	I would like...	szeretnék, kérek
headmistress	igazgatónő	I'm at home.	Itthon vagyok.
headphones	fülhallgató, fejhallgató	I'm nineteen.	Tizenkilenc éves vagyok.
healthy	egészséges	ice-cream	fagylalt (-ot,-ok,-ja)
heavy	nehéz	icicle	jégcsap (-ot,-ok,-ja)
hedgehog	sündisznó	ill	beteg
heel	sarok (sarkat, sarkak, sarka)	to feel ill	rosszul érzi magát
height	magasság (-ot,-ok,-a)	important	fontos
Hello!	Szia! Sziasztok!	in (for sport)	bent volt
Hello (on telephone)	halló	in	-ban/-ben, ba/-be
to help	segít (-s,-eni)	in focus	éles
Help yourselves!	Vegyetek!	in front of	előtt, elé
Can I help you?	Segíthetek?	in the future	a jövőben, majd
hen	tyúk (-ot,-ok,-ja)	India	India
henhouse	tyúkól (-at,-ak,-ja)	indicator	irányjelző
herb	fűszernövény (-t,-ek,-e)	ingredient	alapanyag (-ot,-ok,-a)
hero	hős (-t,-ök,-e)	injection	injekció
heroine	hősnő	instrument	hangszer (-t, ek,-e)
to hide	elbújik (elbújj)	inter-city train	gyorsvonat (-ot,-ok,-a)
hill	hegy (-et,-ek,-e),	interesting	érdekes
	domb (-ot,-ok,-ja)	to interview	interjút készít (-s,-eni)
hippopotamus	víziló	into	-ba/-be
His/her name is...	Ő...	to introduce	bemutat (bemutass)
history	történelem (történelmet,	to invite	meghív (-j)
	történelme)	to iron	vasal (-j)
hold (ship)	rakodótér (-ter-et,-ek,-e)	Is it far to?	Messze van a...?
to hold	tart (-s,-ani)	Is service included?	Felszolgálási díjjal együtt?
holiday	nyaralás (-t,-ok,-a)	It costs...	...-be kerül.
to go on holiday	nyaralni megy	It is dark.	Sötét van.

115

It is getting dark.	Sötétedik.	to knit	köt (köss)
It is getting light.	Virrad.	knitting needle	kötőtű
It is light.	Világos van.	to knock over	felborít (-s,-ani)
It is 10 o'clock.	Tíz óra van.		
It is 3 o'clock.	Három óra van.	**L**	
It's... (on the phone)	...vagyok.		
It's cold.	Hideg van.	label	címke
It's expensive.	Drága.	labourer	munkás (-t,-ok,-a)
It's fine.	Szép idő van.	ladder	létra
It's foggy.	Köd van.	lake	tó (tavat, tavak tava)
It's good value.	Olcsó.	lamb	bárány (-t,-ok,-a)
It's raining.	Esik az eső.	lamp	lámpa
It's ready.	Kész(en) van (az étel).	to land	leszáll (-j)
It's snowing.	Esik a hó.	landlady	tulajdonosnő
It tastes good.	Jóízű.	landlord	tulajdonos (-t,-ok,-a)
It's windy.	Fúj a szél.	language	nyelv (-et,-ek,-e)
It was lovely to hear	Nagyon örültem	landscape	táj (-at,-ak,-a)
from you.	a levelednek.	large	nagy
Italy	Olaszország (-ot,-a)	last	utolsó
		to be late	(el)késik (elkéss)
J		to laugh	nevet (nevess)
		to burst out laughing	elneveti magát
jacket	dzseki	lawn	pázsit (-ot,-ja)
jam	lekvár (-t,-ok,-ja), dzsem	lawnmower	fűnyírógép (-et,-ek,-e)
January	január (-t,-ok,-ja)	lawyer	ügyvéd (-et,-ek,-je)
Japan	Japán (-t,-ja)	to lay eggs	tojik (tojjál)
jeans	farmer (-t,-ek,-e)	to lay the table	(meg)terít (-s,-eni)
jewellery	ékszer (t,-ek,-e)	lazy	lusta
job, profession	foglalkozás (-t,-ok,-a)	leaf	levél (level-et,-ek,-e)
to jog	kocog (-j)	to lean out	kihajol (-j)
to join	belép vhová (-j)	to lean on	támaszkodik (-j)
journalist	újságíró	to learn	tanul (-j)
judge	bíró	left luggage office	csomagmegőrző
juice	lé	left side	bal oldal (-t,-ak,-a)
fruit juice	gyümölcslé	on the left	bal oldalon
jug	kancsó	left wing	baloldali
July	július (-t,-ok,-a)	leg	láb (-at,-ak,-a)
jumper	pulóver (-t,-ek,-e)	leg of lamb	báránycomb (ot,-ok,-ja)
June	június (-t,-ok,-a)	letter	levél (level-et,-ek,-e)
jungle	őserdő, dzsungel (t,-ek,-e)	letter (of alphabet)	betű
		letter box	levélszekrény (-t,-ek,-e)
K		library	könyvtár (-at,-ak,-a)
		to lie down	lefekszik (lefeküdj,
kangaroo	kenguru		lefeküdni)
to keep an eye on	vigyáz vkire (vigyázz)	life	élet (-et,-ek,-e)
kennel	kutyaól (-at,-ak,-ja)	lifeguard	úszómester (-t,-ek,-e)
key	kulcs (-ot,-ok,-a)	lift (elevator)	lift (-et,-ek,-je)
keyboard	billentyűzet (-et,-ek,-e)	light (weight)	könnyű
kilo	kiló	light	fény (-t,-ek,-e),
a kilo of...	egy kiló		villany (-t,-ok,-a)
half a kilo of...	fél kiló	It is light.	Világos van.
to kiss	puszit ad (-j),	It is getting light.	Virrad.
	megcsókol (-j)	lightning	villám (-ot,-ok,-a)
kitchen	konyha	to like	tetszik vkinek (tess, tetszeni
kitten	kiscica	liner	óceánjáró
knee	térd (-et,-ek,-e)	lilac, purple	lila
to kneel down	letérdel (-j)	lion	oroszlán (-t,-ok,-ja)
to be kneeling	térdel (-j)	lip	ajak (ajk-at,-ak,-a)
knickers	bugyi	lipstick	rúzs (-t,-ok,-a)
116 knife	kés (-t,-ek,-e)	list	lista, bevásárlólista

to listen	hallgat (hallgass), figyel (-j)	meat	hús (-t,-ok,-a)
to listen to music	zenét hallgat	mechanic	autószerelő
to listen to the radio	rádiót hallgat	media	média, hírközlés (-t,-e)
litre	liter (-t,-ek,-je)	medium (clothes size)	közepes
half a litre	fél liter	to meet	találkozik (találkozz)
litter	szemét (szemet-et,-ek,-e)	melon	sárgadinnye
litter bin	szemétláda	member	tag (-ot,-ok,-ja)
to live	lakik (lakj), él (-j)	member of parliament	parlamenti képviselő
to live in a house	(családi) házban lakik	to mend	(meg)javít (-s,-ani)
lively	élénk	to mend (clothing)	(meg)foltoz (foltozz)
living room	nappali (szoba)	menu	étlap (-ot,-ok,-ja)
to load	(be)rakodik (-j)	metal	fém (-et,ek,-e)
long	hosszú	metre	méter (-t,-ek,-e)
to look at	néz (nézz)	to mew	nyávog (-j)
to look for	keres (keress)	midday	dél (del-et,-ek,-e)
loose	bő	midnight	éjfél (-t)
lorry	teherautó	milk	tej (-et,-ek,-e)
lorry driver	teherautó sofőr (-t,-ök,-je)	to milk	fej (-jél)
to lose	veszít, elveszít (-s,-eni)	million	millió
loudspeaker	hangosbemondó	mineral water	ásványvíz (-viz-et,-ek,-e)
Love from...(end of letter)	Szeretettel...	minus	-ból/-ből
to love	szeret (szeress)	minute	perc (-et,-ek,-e)
lovely, beautiful	szép	mirror	tükör (tükr-öt,-ök,-e)
luck	szerencse	miserable	rosszkedvű
Good luck!	Sok szerencsét!	to miss the train	lekési a vonatot
luggage-rack	csomagtartó	to mix	összekever (-j)
lullaby	altatódal (-t,-ok,-a)	model	manöken (-t,-ek,-je)
lunch	ebéd (-et,-ek,-je)	mole	vakondok (-ok,-ok,-ja)
lunch hour	ebédszünet (-et,-ek,-e)	Monday	hétfő
to be lying down	fekszik (feküdj, feküdni)	money	pénz (-t,-ek,-e)
		to change money	pénzt vált

M

		to take money out	kivesz pénzt a bankból
		monkey	majom (majm-ot,-ok,-a)
made of metal	fém-	month	hónap (-ot,-ok,-ja)
made of plastic	műanyag-	moon	hold (-at,-ak,-ja)
magazine	folyóirat (-ot,-ok,-a)	moped	robogó
mail	(napi) posta	morning, in the morning	reggel
airmail	légiposta	8 in the morning, 8 a.m.	reggel nyolc
main course	főfogás (-t,-ok,-a)	this morning	ma reggel
main road	főút (főutat, főutak,	mosquito	szúnyog (-ot,-ok,-ja)
	főútja)	mother	anya
to make	készít (készíts, készíteni)	motor racing	autóverseny(zés)
to make a list	listát ír (-j)	motorbike	motorkerékpár (-t,-ok,-ja)
to make a telephone call	telefonál (-j)	motorway	autópálya
to put on make-up	kifesti magát	mountain	hegy (-et,-ek,-e)
man	1. ember (-t,-ek,-e)	mountaineering	hegymászás (-t)
	2. férfi (-t,-ak)	to go mountaineering	hegyet mászik (mássz)
to manufacture	készít (-s,-eni)	mouse	egér (eger-et,-ek,-e)
map	térkép (-et,-ek,-e)	moustache	bajusz (-t,-ok,-a)
March	március (-t,-ok,-a)	mouth	száj (-at,-ak,-a)
margarine	margarin (-t,-ok,-ja)	to move in	beköltözik (beköltözz)
market	piac (-ot,-ok,-a)	to move out	kiköltözik
market stall	piaci stand (-ot,-ok,-ja)	to mow the lawn	füvet nyír (j)
marriage	házasság (-ot,-ok,-a)	to multiply	szoroz (-z)
to get married	összeházasodik (-j)	music	zene
mascara	szempillafesték (-et,-ek,-e)	classical music	komolyzene
maths	matematika, matek (-ot,-ja)	pop music	popzene
May	május (-t,-ok,-a)	musician	zenész (-t,-ek,-e)
meadow	rét (-et,-ek,-je)	mustard	mustár (-t,-ok,-ja)
to measure	mér (-j)	My name is...	... vagyok

117

N

naked	meztelen, csupasz
name	név (nev-et,-ek,-e)
first name	keresztnév
his name is ...	ő ...
my name is ...	... vagyok
surname	vezetéknév
What's your name?	Hogy hívnak?
napkin	szalvéta
narrow	szűk, keskeny
naughty, cheeky	szemtelen
navy blue	tengerészkék
near (to)	közel vmihez
neck	nyak (-at,-ak,-a)
necklace	nyaklánc (-ot,-ok,-a)
needle	varrótű
neighbour	szomszéd (-ot,-ok,-ja)
nephew	unokaöcs (öccse)
nest	fészek (fészk-et,-ek,-e)
net	háló
Netherlands	Hollandia
new	új
New Year's Day	újév
New Year's Eve	Szilveszter
Happy New Year!	Boldog új évet!
New Zealand	Új-Zéland
news	hír (-t,-ek,-e)
newspaper	újság (-ot,-ok,-a)
newspaper stand	újságosbódé
next, following	következő
the next day	másnap
next Monday	jövő hétfőn
next week	jövő héten
nice	kedves
niece	unokahúg (-a)
night, at night	éjszaka, éjjel
nightdress	hálóing (-et,-ek,-e)
nine	kilenc
nineteen	tizenkilenc
ninety	kilencven
no	nem
no entry (road sign)	behajtani tilos
no parking	parkolni tilos
No smoking!	nemdohányzó, Dohányozni tilos!
noisy	zajos
north	észak
North Pole	Északi-sark (-ot)
nose	orr (-ot,-ok,-a)
note (money)	bankjegy (-et,-ek,-e)
nothing	semmi
Nothing to declare.	Nincs elvámolnivalóm.
novel	regény (-t,-ek,-e)
November	november (-t,-ek,-e)
now, nowadays	most
number	szám (-ot,-ok,-a)
number plate	rendszám (-ot,-ok,-a)
nurse	ápoló(nő)

O

oak tree	tölgyfa
oar	evező
obedient	szófogadó
October	október (-t,-ek,-e)
office	iroda, hivatal (-t,-ok,-a)
office block	irodaház (-at,-ak,-a)
oil	olaj (-at,-a)
old	öreg, régi
older than	idősebb, mint
old-fashioned	régimódi
old age	öregkor (-t,-a)
on	-n/-on/-en/-ön, -ra/ -re
one	egy
one way	egyirányú
onion	hagyma
only child	egyke
open	nyitott
to be open	nyitva van
to open	nyit (kinyiss)
to open a letter	felbontja a levelet
to open the curtain	elhúzza a függönyt
opera	opera
operating theatre	műtő
operation	műtét (-et,-ek,-e), operáció
opposite	szemben, szembe
orange (colour)	narancssárga
orange (fruit)	narancs (-ot,-ok,-a)
orchard	gyümölcsös
orchestra	zenekar (-t,-ok,-a)
to order	rendel (-j)
ostrich	strucc (-ot,-ok,-a)
out (for sports)	kint volt
out, out of	ki-, -ból/-ből
out of focus	életlen
oven	sütő
over	fölött, fölé
to overtake	előz (-z)
overtime	túlóra
owl	bagoly (bagly-ot,-ok,-a)

P

Pacific Ocean	Csendes-óceán (-t)
to pack	(be)csomagol (-j)
packet	csomag (-ot,-ok,-ja)
to paddle	lubickol (-j)
paint	festék (-et,-ek,-e)
to paint	fest (fess, festeni)
painter	(festő)művész (-t,-ek,-e)
painting	festmény (-t,-ek,-e)
pale	halvány, sápadt
paper	papír (-t,-ok,-ja)
paperback	puhafedelű könyv (-et,-ek,-e)
parcel	csomag (-ot,-ok,-ja)
parent	szülő
park	park (-ot,-ok,-ja)

park keeper	parkőr (-t,-ök,-e)	pitch (for football)	(foci)pálya
to park	parkol (-j)	to pitch a tent	felveri a sátrat
no parking	parkolni tilos	planet	bolygó
parliament	országgyűlés (-t,-e)	plate	tányér (-t,-ok,-ja)
party (celebration)	buli (-t,-k,-ja)	plaits	copf (-ot,-ok,-ja)
party (political)	párt (-ot,-ok,-ja)	to plant	ültet (-et,-ek,-e)
party leader	pártvezér (-t,-ek,-e)	plastic	műanyag (-ot,-ok,-a)
passenger	utas (-t,-ok,-a)	made of plastic	műanyag-
passport	útlevél (útlevel-et,-ek,-e)	platform	vágány (-t,-ok,-a),
past	múlt (-at,-ja)		peron(-t,-ok,-ja)
in the past	a múltban	platform ticket	peronjegy (-et,-ek,-e)
pasta	tészta	play (theatre)	színdarab (-ot,-ok,-ja)
pastry	sütemény (-t,-ek,-e)	to play an instrument	játszik vmilyen hangszeren
path	(kerti) út, ösvény (-t,-ek,-e)	to play (games)	játszik (játssz,játszani)
patient (wounded)	beteg (-et,-ek,-e)	to play cards	kártyázik (kártyázz)
pattern (knitting)	(kötés)minta	to play chess	sakkozik (sakkozz)
pavement	járda	to play draughts	dámát játszik
paw	mancs (-ot,-ok,-a)	to play football	focizik (focizz)
PE	testnevelés(óra)	to play golf	golfozik (golfozz)
pea	zöldborsó	to play squash	fallabdázik (fallabdázz)
peaceful	békés	to play tennis	teniszezik (teniszezz)
peach	őszibarack (-ot,-ok,-ja)	player	játékos (-t,-ok,-a)
pear	körte	playful	játékos (kedvű)
pedestrian	gyalogos (-t,-ok,-a)	playground	játszótér
pedestrian crossing	zebra, gyalogátkelőhely	Please find enclosed...	Mellékelten küldöm...
pen	toll (-at,-ak,-a)	pleased with	elégedett vmivel
ball-point pen	golyóstoll (-at,-ak,-a)	to plough	szánt (-s,-ani)
pencil	ceruza	plug (electric)	csatlakozó
pencil case	tolltartó	plug (for bath)	dugó
penguin	pingvin (-t,-ek,-e)	plum	szilva
pepper	bors (-ot,-a)	plumber	víz(vezeték)szerelő
to perch	gubbaszt (gubbassz,	plus	meg, plusz
	gubbasztani)	pocket	zseb (-et,-ek,-e)
to perform	előad (-j)	poetry	költészet, versek
perfume	kölni	polar bear	jegesmedve
petrol	benzin (-t,-ek,-je)	police	rendőrség (-et,-ek,-e)
petrol station	benzinkút (-kutat,	police car	rendőrautó
	-kutak, kútja)	police station	rendőrörs (-öt,-ök,-e)
to fill up with petrol	tankol (-j)	policeman/woman	rendőr(nő)
petticoat	alsószoknya	polite	udvarias
photograph	fénykép (-et,-ek,-e)	politics	politika
to take a photo	lefényképez (-z)	pond	tó (tavat,tavak,tava)
photography	fényképezés (-t,-e)	poppy	1.mák (-ot,-ja) 2.pipacs
physics	fizika	popular	népszerű
piano	zongora	pork chop	karaj (-t,-a)
to play the piano	zongorázik (zongorázz)	port	kikötő
to pick	szed (-j), szüretel (-j	porter	hordár (-t,-ok,-ja)
to pick flowers	virágot szed	porthole	hajóablak
to pick up	felvesz (felvegyél)	to post	felad (postára)
to pick up the receiver	felveszi a kagylót	postoffice	posta
picnic	uzsonna a szabadban,	postal code	irányítószám (-ot,-ok,-a)
	piknik	post-box	postaláda
pig	disznó	postcard	levelezőlap
pigeon	galamb (-ot,-ok,ja)	postman	postás (-t,-ok,-a)
pill	tabletta	potato	burgonya, krumpli
pillow	párna	to pour	önt (-s,-eni), tölt (-s,-eni)
pilot	pilóta	powerboat	motorcsónak (-ot,-ok,-ja)
pin	gombostű	precise	precíz
pine tree	fenyőfa	prescription	recept (-et,-ek,-je)
pink	rózsaszín	present (gift)	ajándék (-ot,-ok,-a)

119

present (now)	**jelen (-t,-e)**	reed	**nád (-at,-ak,-ja)**
president	**elnök (öt,-ök,-e)**	referee	**bíró, játékvezető**
pretty	**csinos**	to be related to	**rokona (vkinek)**
price	**ár (-at,-ak,-a)**	to reserve	**foglal (j)**
prime minister	**miniszterelnök (-öt,-ök,-e)**	to reserve a room	**szobát foglal**
programme	**műsor (t,-ok,-a)**	to reserve a seat (train)	**helyjegyet vesz**
pudding	**puding (-ot,-ok,-ja)**	reserved seat	**lefoglalt hely**
puddle	**pocsolya**	to rest	**pihen (-j)**
to take someone's pulse	**megméri a pulzusát**	restaurant	**étterem (étterm-et,-ek,-e)**
to pull	**húz (húzz)**	to retire	**nyugdíjba megy**
pupil	**tanuló**	by return of post	**postafordultával**
puppy	**kiskutya**	return ticket	**menettérti jegy (-et,-ek,-e)**
to purr	**dorombol (-j)**	rice	**rizs (-t,-e)**
purse	**pénztárca**	to ride a bicycle	**kerékpározik (kerékpározz)**
to push	**tol (-j), nyom (-j)**	right side	**jobb oldal**
push-chair	**babakocsi**	on the right	**jobb oldalon**
to put	**tesz (tegyél, tenni)**	rightwing	**jobboldali**
to put down	**letesz**	ring (jewellery)	**gyűrű (ékszer)**
pyjamas	**pizsama**	to ring	**cseng (-j,-eni)**
		to ring the bell	**csenget (csengess)**

Q

		ripe	**érett**
		river	**folyó**
quarter	**negyed**	road	**út, országút (utat, utak, útja)**
a quarter past ten	**negyed tizenegy**	to roar	**bőg (-j)**
a quarter to ten	**háromnegyed tíz**	rock	**szikla**
to ask a question	**kérdez (kérdezz)**	roll (bread)	**zsömle**
to queue	**sorban áll**	roof	**háztető**
quiet, calm	**nyugodt**	room	**szoba**
		double room	**kétágyas szoba**

R

		single room	**egyágyas szoba**
		rose	**rózsa**
rabbit	**nyúl (nyul-at,-ak,-a)**	roundabout (for children)	**körhinta**
race, racing	**verseny (-t,-ek,-e)**	to row (a boat)	**evez (evezz)**
racket	**ütő**	rowing boat	**evezős csónak**
radiator	**fűtőtest (-et,-ek,-e)**	to rub your eyes	**dörzsöli a szemét**
radio	**rádió**	rubber	**radír**
railway	**vasút (vasut-at,-ak,vasútja)**	rude	**udvariatlan**
rain	**eső**	rucksack, backpack	**hátizsák (-ot,-ok,-ja)**
It's raining.	**Esik az eső.**	ruler	**vonalzó**
rainbow	**szivárvány (-t,-ok,-a)**	to run	**fut (fuss), szalad (-j)**
raincoat	**esőkabát (-ot,-ok,-ja)**	to run away	**elfut**
raindrop	**esőcsepp (-et,-ek,-e)**	running shoes	**edzőcipő**
rake	**gereblye**	runway	**kifutópálya**
raspberry	**málna**	Russia	**Oroszország (-ot,-a)**
raw	**nyers**		
razor	**borotva**		

S

to read	**olvas (olvass)**		
to read a book	**könyvet olvas**	safety belt	**biztonsági öv**
to read a story	**mesét olvas**	sailor	**tengerész (-t,-ek,-e)**
It's ready.	**Kész van (az étel).**	salad	**saláta**
receipt	**számla**	salami	**szalámi**
to receive	**kap (-j)**	salary	**fizetés (-t,-ek,-e)**
receiver	**(telefon)kagyló**	sale (in shop)	**vásár (-t), akció**
reception (hotel)	**recepció**	salmon	**lazac (-ot,-ok,-a)**
recipe	**(étel)recept (-et,-ek,-je)**	sales representative	**kereskedelmi**
record	**lemez (-t,-ek,-e)**		**ügynök (-öt,-ök,-e)**
record player	**lemezjátszó**	salt	**só**
record shop	**hanglemezbolt (-ot,-ok,-ja)**	same	**ugyanaz**
rectangle	**téglalap (-ot,-ok,-ja)**	the same age as...	**egyidős vkivel**
120 red	**piros, vörös**	sand	**homok (-ot,-ok,-ja)**

sandals	szandál (-t,-ok,-ja)	shallow	sekély
sandcastle	homokvár (-at,-ak,-a)	shampoo	sampon (-t,-ok,-ja)
satchel	iskolatáska	shape	alak (-ot,-ok,-ja)
Saturday	szombat (-ot,-ok,-ja)	sharp, sour	savanyú
saucepan	serpenyő	to shave	borotválkozik (-z)
saucer	csészealj (-at,-ak,-a)	electric shaver	villanyborotva
sausage	kolbász (-t,-ok,-a)	shaving foam	borotvahab (-ot,-ok,-ja)
saw	fűrész (-t,-ek,-e)	sheep	birka, juh (-ot,-ok,-a)
to say	mond (-j,-ani)	sheepdog	juhászkutya, pásztorkutya
scales	mérleg (-et,-ek,-e)	sheet	lepedő
Scandinavia	Skandinávia	shell	kagyló
scarecrow	madárijesztő	ship	hajó
scarf	sál (-at,-ak,-a)	shirt	ing (-et,-ek,-e)
scenery (theatre)	díszlet (-et,-ek,-e)	shoes	cipő
school	iskola	tennis shoes	tornacipő
at school	iskolában	shop	bolt (-ot,-ok,-ja),
nursery school	óvoda		üzlet (-et,-ek,-e)
primary school	általános iskola	shop assistant	eladó(nő)
secondary school	középiskola	shopkeeper	üzlettulajdonos (-t,-ok,-a)
school year	tanév (-et,-ek,-e)	shopwindow	kirakat (-ot,-ok,-a)
scissors	olló	to shop at the market	piacon vásárol
to score a goal	gólt lő (lőjj)	to go shopping	vásárol (-j)
screwdriver	csavarhúzó	shopping bag	bevásárló táska
sea	tenger (-t,-ek,-e)	short	alacsony
sea food	tengeri kagyló és rák	shoulder	váll (-at,-ak,-a)
seagull	sirály (-t,-ok,-a)	to shout	kiabál (-j)
to be seasick	tengeribeteg	shower	zuhany (-t,-ok,-a)
at the seaside	a tengerparton	to have a shower	zuhanyozik (-z)
season	évszak (-ot,-ok,-a)	shy	félénk
season ticket	bérlet (-et,-ek,-e)	to be sick	hányingere van
seat	ülőhely (-et,-ek,-e)	side	oldal (-t,-ak,-a)
seaweed	hínár (-t,-ok,-ja)	to sightsee	megnéz (várost)
second (unit of time)	másodperc (-et,-ek,-e)	signpost	útjelző tábla
second	második	silly	hülye, buta
second (for dates only)	másodika	silver	ezüst
second class	másodosztály	made of silver	ezüst-
second floor	második emelet	to sing	énekel (-j)
secretary	titkár(nő)	to sing out of tune	hamisan énekel
See you later.	Viszontlátásra.	single room	egyágyas szoba
seed	mag (-ot,-ok,-ja)	singer	énekes(nő)
to sell	elad (-j), árul (-j)	sink (washbasin)	mosogató
to send	küld (-j)	sister	(lány)testvér (-t,-ek,-e)
I'm sending... separately	Külön küldöm a...	to sit	ül (-j)
to send a postcard	képeslapot küld	to sit an exam	vizsgázik (vizsgázz)
to send a telegram	táviratot küld	to sit by the fire	a tűz mellett ül
sentence	mondat (-ot,-ok,-a)	to sit down	leül
September	szeptember (-t,-ek,-e)	to be sitting down	ül, üldögél (-j)
to serve (sport)	szervál (-j)	six	hat
to serve (meal)	felszolgál (-j)	sixteen	tizenhat
service	felszolgálás, szolgáltatás	size	méret (-et,-ek,-e)
Is service included?	Felszolgálási díjjal együtt?	What size is this?	Ez milyen méret?
Service not included.	Felszolgálási díj nélkül.	skis	sí
seven	hét	ski boots	sícipő
seventh	hetedik	ski instructor	síoktató
seventeen	tizenhét	ski pole	síbot (-ot,-ok,-ja)
seventy	hetven	ski resort	síelőhely (-et,-ek,-e)
to sew	varr (-j)	ski slope, ski run	sípálya
shade	árnyék (-ot,-ok,-a)	to go skiing	síel (-j)
to shake	ráz (rázz)	skilful, good with	
to shake hands with	kezet fog vkivel (-j)	your hands	ügyes

121

skin	bőr (-t,-ök,-e)	sports equipment	sportszerek
skirt	szoknya	spotlight	reflektor (-t,-ok,-a)
sky	ég (eget, egek, ege)	spotted	pöttyös
skyscraper	felhőkarcoló	to sprain your wrist	kificamítja a csuklóját
sledge	szánkó	spring	tavasz (-t,-ok,-a)
to sleep	alszik (aludj, aludni)	square (shape)	négyzet (-et,-ek,-e)
Sleep well!	Aludj jól!	square (in a town)	tér (teret, terek, tere)
sleeping-car	hálókocsi	squash	fallabda
sleeping bag	hálózsák (-ot,-ok,-ja)	squirrel	mókus (-t,-ok,-a)
to be sleepy	álmos	stable	lóistálló
slide	csúszda	stage (theatre)	színpad (-ot,-ok,-a)
slim	karcsú	staircase, stairs	lépcső
to slip	(el)csúszik (csússz)	stamp	bélyeg (-et,-ek,-e)
slippers	papucs (-ot,-ok,-a)	to stand up	feláll (-j)
slope	lejtő	to be standing	áll, álldogál
slow	lassú	star	csillag (-ot,-ok,-a)
to slow down	(le)lassít (-s,-ani)	to start off	elindul (-j)
small	kicsi	starter (of meal)	előétel (-t,-ek,-e)
to smile	mosolyog (-j)	station	állomás (-t,-ok,-a)
smoke	dohányzik (dohányozz,	stationers	papírbolt (-ot,-ok,-ja)
	dohányozni)	statue	szobor (szobr-ot,-ok,-a)
snake	kígyó	to stay in a hotel	szállodában lakik
to sneeze	tüsszent (-s,-eni)	steak	marhaszelet (-et,-ek,-e)
to snore	horkol (-j)	to steal	lop (-j)
snow	hó (havat,-a)	steep	meredek
It's snowing.	Esik a hó.	steering wheel	kormány(kerék)
snowman	hóember (-t,-ek,-e)	to stick	ragaszt (ragassz,-ani)
soaked to the skin	bőrig ázott	sticking plaster	sebtapasz (-t,-ok,-a)
soap	szappan (-t,-ok,-a)	to sting	(meg)szúr (-j), (meg)csíp (-j)
society	társadalom (társadalm-at,	stomach	has (-at,-ak,-a)
	-ak,-a)	to have a stomach ache	fáj a hasa
socks	zokni	story	történet (-et,-ek,-e), mese
sofa	kanapé	stove	kempingfőző
soft	puha	straight	egyenes
soil	föld (-et,-ek,-je)	to go straight on	egyenesen megy
soldier	katona	strawbery	eper (epr-et,-ek,-e)
sole (fish)	nyelvhal (-at,-ak,-a)	stream	patak (-ot,-ok,-ja)
someone	valaki	street	utca
son	fia vkinek	street light	utcai lámpa
only son	egyke	sidestreet	mellékutca
to sort, to sort out	válogat (válogass)	oneway street	egyirányú utca
soup	leves (-t,-ek,-e)	to stretch	nyújtózkodik (-j)
south	dél (égtáj)	stretcher	hordágy (-at,-ak,-a)
South America	Dél-Amerika	striped	csíkos
South Pole	Déli-sark (-ot)	strong	erős
to sow	vet (vess)	student	hallgató
space	világűr (-t)	to study	tanul (-j)
spaceship	űrhajó	subject	tantárgy (-at,-ak,-a)
spade	ásó	to subtract	kivon (-j)
Spain	Spanyolország (-ot,-a)	suburb	külváros (-t,-ok,-a)
Spanish	spanyol	subway	aluljáró
sparrow	veréb (vereb-et,-ek,-e)	sugar	cukor (cukr-ot,-ok,-a)
spelling	helyesírás (-t,-a)	suitcase	bőrönd (öt,-ök,-je)
to spend (money)	pénzt költ (-s,-eni)	summer	nyár (nyar-at,-ak,-a)
spices	fűszer (-t,-ek,-e)	summit	csúcs (-ot,-ok,-a)
spider	pók (-ot,-ok,-ja)	to do sums (calculate)	számol (-j)
spinach	spenót (-ot,-ok,-ja)	sun	nap (-ot,-ok,-ja)
to splash	pancsol (-j)	The sun is shining.	Süt a nap.
spoon	kanál (kanal-at,-ak,-a)	to sunbathe	napozik (napozz)
sport	sport (-ot,-ok,-ja)	Sunday	vasárnap (-ot,-ok,-ja)

sunglasses	napszemüveg (-et,-ek,-e)	(telephone) area code	körzetszám (-ot,-ok,-a)
sunrise	napkelte	telephone box	telefonfülke
sunset	naplemente	telephone directory	telefonkönyv
sunshade	napernyő	telephone number	telefonszám (-ot,-ok,-a)
suntan lotion	napolaj (-at,-ok,-a)	to answer the telephone	beleszól a telefonba
supermarket	ABC	to make a telephone call	telefonál (-j)
to go to the supermarket	elmegy az ABC-be	telescope	távcső
supper	vacsora	television	televízió
surgeon	sebész (-t,-ek,-e)	to have a temperature	lázas
surname	vezetéknév (-nev-et,-ek,-e)	to take someone's	
to sweat	izzad (-j)	temperature	lázat mér (-j)
sweet, charming	aranyos, édes	ten	tíz
sweet (sugar)	édes	tenant	bérlő
sweet-smelling	illatos	tennis	tenisz (-t,-e)
to swim, to have a swim	úszik (ússz)	tennis court	teniszpálya
swimming pool	uszoda	tennis shoes	tornacipő
swing	hinta	to play tennis	teniszezik (-z)
to switch the light off	eloltja a villanyt	tent	sátor (sátra-at,-ak,-a)
to switch the light on	felgyújtja a villanyt	term (school)	félév (-et,-ek,-e)
Switzerland	Svájc (-ot,-a)	beginning of term	a félév eleje
		end of term	a félév vége
T		to thank	(meg)köszön (-j)
		Thank you for your	...-n kelt levelét
table	asztal (-t,-ok,-a)	letter of ...	köszönöm.
bedside table	éjjeliszekrény (-t,-ek,-e)	Thank you very much.	Köszönöm szépen.
to lay (the table)	megterít (-s,-eni)	That will be.../cost	... lesz/...-be kerül
tablecloth	abrosz (-t,-ok,-a), terítő	to thaw	olvad (-j)
tail	farok (fark-at,-ak,-a)	theatre	színház (-at,-ak,-a)
to take	visz (vigyél, vinni),	thermometer	hőmérő
	vesz (vegyél, venni)	thin	sovány
to take the bus	(autó)buszra száll (-j)	Thinking of you.	Sokat gondolok rád.
to take a photo	(le)fényképez (-z)	third	harmadik
to take someone's		a third	egy harmad
temperature	lázat mér	the third (for dates only)	harmadika
to take off (aeroplane)	felszáll (repülő)(-j)	thirteen	tizenhárom
to take off (clothes)	levesz (ruhát)	thirty	harminc
to take out, to draw out	kihúz (-z)	to be thirsty	szomjas
to take money out	pénzt kivesz	this evening	ma este
to be tall	magas	this morning	ma reggel
tame	szelíd	thousand	ezer
tanned	barna, lesült	thread	cérna
tap	vízcsap (-ot,-ok,-ja)	three	három
to tap your feet	veri a ritmust	three quarters	háromnegyed
taste, flavour	íz (-t,-ek,-e)	through	át, keresztül
to taste, to try	megkóstol (-j)	to throw	dob (-ot,-ok,-ja)
It tastes good.	Jóízű.	thrush	rigó
tax	adó	thumb	hüvelykujj (-at,-ak,-a)
taxi	taxi	thunder	mennydörgés (-t,-ek,-e)
to hail a taxi	leint egy taxit	thunderstorm	vihar, zivatar (-t,-ok,-a)
taxi-driver	taxisofőr (-t,-ök,-je)	Thursday	csütörtök (-öt,-ök,-e)
taxi-rank	taxiállomás (-t,-ok,-a)	ticket	jegy, menetjegy (et,-ek,-e)
tea	tea	airline ticket	repülőjegy
tea towel	konyharuha	return ticket	menettérti jegy
to teach	tanít (-s)	season ticket	bérlet (-et,-ek,-e)
teacher	tanár (-t,-ok,-a)	ticket collector	jegyszedő
team	csapat (-ot,-ok,-a)	ticket machine	jegyautomata
teapot	teáskanna	ticket office	jegypénztár (-t,-ak,-a)
to tear	(el)szakít (-s,-ani)	to tidy up	rendet rak (-j)
telegram	távirat (-ot,-ok,-a)	tie	nyakkendő
telephone	telefon (-t,-ok,-ja)	tiger	tigris (-t,-ek,-e)

tight	szűk	Tuesday	kedd (-et,-ek,-je)
tights	harisnyanadrág (ot,-ok,-ja)	Tuesday, the	
time	idő	second of June	június másodika, kedd
to be on time	pontos	tulip	tulipán (-t,-ok,-ja)
What time is it?	Hány óra van?	tune	dallam (-ot,-ok,-a)
times (maths)	-szor, -szer, -ször	to turn	fordul (-j)
timetable	órarend (-et,-ek,-je)	to turn left	balra fordul
tin	konzerv (-et,-ek,-je)	to turn right	jobbra fordul
tinned food	konzerv (élelem)	tusk	agyar (-t,-ok,-a)
tiny	pici, parányi	twelve	tizenkettő
tip	borravaló	twenty	húsz
to, towards	-hoz/-hez/-höz, felé	twin brother	ikertestvér (fiú)
today	ma	twin sister	ikerestvér (lány)
toe	lábujj (-at,-ak,-a)	twins	ikrek
together	együtt	two	kettő
toilet	vécé, WC	tyre	(autó)gumi
tomato	paradicsom (-ot,-ok,-a)	to have a flat tyre	defektes a kereke
tomorrow	holnap		
tomorrow evening	holnap este		
tomorrow morning	holnap reggel	**U**	
tongue	nyelv (-et,-ek,-e)		
tooth	fog (-at,-ak,-a)	umbrella	esernyő
to have toothache	fáj a foga	uncle	nagybácsi
toothbrush	fogkefe	under	alatt, alá
toothpaste	fogkrém (-et,-ek,-e)	underground	metró, földalatti
tortoise	teknős (-t,-ök,-e)	underground station	metróállomás (-t,-ok,-a)
to touch	(meg)érint (-s,-eni)	underpants	alsónadrág (-ot,-ok,-ja)
tourist	turista	to get undressed	levetkőzik (-z)
towel	törülköző	unemployment	munkanélküliség (-et,-e)
town	város, kisváros (-t,-ok,-a)	United States	Amerikai Egyesült
town centre	városközpont (-ot,-ok,-ja)		Államok (-at)
town hall	városháza	universe	világegyetem (-et,-e)
toy	játék (-ot,-ok,-a)	university	egyetem (-et,-ek,-e)
track	sín (-t,-ek,-je)	to unload	kirakodik (-j)
tracksuit	melegítő	up	fel
tractor	traktor (-t,-ok,-a)	to get up	felkel (-j)
trade union	szakszervezet (-et,-ek,-e)	upstairs	fent
traffic	forgalom (forgalm-at,-a)	to go upstairs	felmegy (-menj, -menni)
traffic jam	forgalmi dugó	Urgent message stop	Sürgős ügyben stop hívj
traffic lights	jelzőlámpa	phone home stop	fel otthon stop
train	vonat (-ot,-ok,-a)	useful	hasznos
The train from...	...-ból érkező vonat	usherette	jegyszedőnő
The train to...	...-ba induló vonat		
inter-city train	gyorsvonat	**V**	
goods train	tehervonat		
to travel by boat, to sail	hajón utazik (-z)	to vacuum	porszívózik (-z)
traveller	utazó	valley	völgy (-et,-ek,-e)
tray	tálca	van	furgon (-t,-ok,-ja)
tree	fa	veal	borjúhús (-t)
triangle	háromszög (-et,-ek,-e)	vegetable patch	konyhakert (-et,-ek,-je)
trolley	bevásárlókocsi, kézikocsi	vegetable	zöldség (-et,-ek,-e)
trousers	nadrág (-ot,-ok,-ja)	Very well, thank you.	Köszönöm, jól.
trout	pisztráng (-ot,-ok,-ja)	vest	trikó
trowel	ültető lapát (-ot,-ok,-ja)	vicar	lelkész (-t,-ek,-e)
true	igaz	video	video
trumpet	trombita	video camera	videokamera
to play the trumpet	trombitál (-j)	view	kilátás (-t,-a)
trunk (elephant's)	ormány (-t,-ok,-a)	village	falu
T-shirt	póló(ing)		

vine	szőlő(tő)	well	jól
vinegar	ecet (-et,-ek,-e)	to have eaten well	jóllakott
vineyard	szőlő(skert)	Very well, thank you	Köszönöm, jól
violin	hegedű	wellington boots	gumicsizma
to violin	hegedül (-j)	west	nyugat (-ot)
to visit	megnéz (-z), meglátogat	What is the weather like?	Milyen idő van?
volume	űrtartalom (űrtartalma)	What size is this?	Ez milyen méret?
to vote	szavaz (szavazz)	What time is it?	Hány óra van?
		What's your name?	Hogy hívnak?
		What would you like?	Mit parancsol?

W

		wheat	búza
		wheel	kerék (kerek-et,-ek,-e)
to wag its tail	csóválja a farkát	wheelbarrow	talicska
wages	fizetés, bér (-t,-ek,-e)	Which way is...	Merre van a...?
to wait for	vár vkire (várj)	to whisper	suttog (-j), súg (-j)
waiter	pincér(nő)	white	fehér
waiting-room	váróterem (-term-et,-ek,-e)	Who's speaking?	Ki beszél?
to wake up	felébred (-j)	width	szélesség (-et,-ek,-e)
to walk	gyalogol (-j), sétál (-j)	wife	feleség (-et,-ek,-e)
to go for a walk	sétálni megy	wild	vad
to walk barefoot	mezítláb jár	wild flower	vadvirág (-ot,-ok,-a)
to walk the dog	kutyát sétáltat (sétáltass)	to win	győz (-z), nyer (-j)
wall	fal (-at,-ak,-a)	wind	szél (szelet, szelek, szele)
wallet	irattárca	window	ablak (-ot,-ok,-a)
to wash, to have a wash	mosakszik (mosakodj,	to go window-shopping	kirakatot nézeget
	mosakodni)	windscreen	szélvédő
to wash up	mosogat (mosogass)	to windsurf	szörfözik (-z)
to wash your hair	hajat mos (moss)	It's windy.	Fúj a szél.
to do the washing	mos (moss)	wine	bor (-t,-ok,-a)
washing line	szárítókötél (-kötel-et,	wing	szárny (-at,-ak,-a)
	-ek,-e)	winter	tél (telet, telek, tele)
washing machine	mosógép (-et,-ek,-e)	with	-val/ -vel
wasp	darázs (darazs-at,-ak,-a)	without	nélkül
to watch	néz (-z), figyel (-j)	woman	nő
to watch television	televíziót néz	wood (forest)	erdő
water	víz (vizet, vizek, vize)	wooden, made of wood	fa-
mineral water	ásványvíz	woodwork	famunka
watering can	locsolókanna	wool	fonal (-at,-ak,-a), gyapjú
to waterski	vízisízik (-z)	woollen	gyapjú-
wave	hullám (-ot,-ok,-a)	word	szó
way (path)	út (utat, utak, útja)	to work	dolgozik (-z)
to ask the way	útbaigazítást kér (-j)	to go to work	munkába megy
Which way is...	Merre van a ...?	world	világ (-ot,-ok,-a)
weak	gyenge	worst	legrosszabb
to wear (clothes)	visel (-j)	I would like...	szeretnék, kérek
to wear glasses	szemüveges	wrapping	csomagolás (-t,-ok,-a)
weather	idő(járás) (-t,-a)	wrist	csukló
weather forecast	időjárásjelentés (-t,-ek,-e)	to write	ír (-j)
wedding	esküvő	to write a cheque	kiállít egy csekket
wedding ring	jegygyűrű	to write a letter	levelet ír
Wednesday	szerda	writing paper	levélpapír
weed	gyom (-ot,-ok,-ja)		
to weed	gyomlál (-j)		
week	hét (het-et,-ek,-e)	## Y	
week-end	hétvége		
weeping willow	szomorúfűz (-et,-ek,-e)	to yawn	ásít (-s,-ani)
to weigh	mér (-j)	year	év (et,-ek,-e)
to weigh yourself	megméri magát	yellow	sárga
weight	súly (-t,-ok,-a)	yes	igen

yesterday	**tegnap**	**Z**	
yesterday evening	**tegnap este**		
yesterday morning	**tegnap reggel**		
yoghurt	**joghurt (-ot,-ok,-ja)**	zebra	**zebra**
young	**fiatal**	zero	**nulla**
young, little	**kicsi, kis**	zip	**cipzár (-t,-ok,-ja)**
younger than ...	**fiatalabb, mint...**	zoo	**állatkert (-et,-ek,-je)**
Yours faithfully	**Szívélyes üdvözlettel**	zookeeper	**állatkerti őr**

Az Usborne Publishing Ltd sorozatát angol-magyarra átdolgozta
SZABÓ HELGA

Minden jog fenntartva.
Jelen kiadványt vagy ennek részeit tilos bármilyen
(elektronikus, mechanikus, fénymásoló) eljárással
sokszorosítani a kiadó írásbeli engedélye nélkül.

© Szabó Helga, 1996

Holnap Kiadó Kft., Budapest, 1997
Felelős kiadó: a kiadó ügyvezető igazgatója
Műszaki szerkesztő: Ágoston Katalin
Megjelent 8,8 (A/5) ív terjedelemben · HO 414
ISBN 963 346 168 5
Nyomta és kötötte: Dürer Nyomda és Kiadó Kft., Gyula, 1997
Felelős vezető: Beregszászi László ügyvezető igazgató